JOHANN SEBASTIAN BACH

BRANDENBURG CONCERTO No. 5

D major / D-Dur / Ré majeur
BWV 1050

Edited by / Herausgegeben von
Karin Stöckl

in collaboration with / in Zusammenarbeit mit
Martin Steinebrunner

Ernst Eulenburg Ltd
London · Mainz · Madrid · New York · Paris · Tokyo · Toronto · Zürich

CONTENTS/INHALT

PREFACE / VORWORT

From August 1717 to April 1723 Johann Sebastian Bach was Kapellmeister and Master of the Royal Chamber Music at the Court of Prince Leopold of Anhalt-Cöthen. Bach expressed his feelings about this post retrospectively in a letter to his long-standing friend Georg Erdmann, written in 1730.[1] One may gather from this letter that for Bach the well-paid post of Kapellmeister obviously carried with it a certain prestige and for that reason he felt it to be a demotion to have to trouble himself with a choirmaster's job. On the other hand Bach's comments make it clear that the working conditions in Cöthen became increasingly difficult with the approaching marriage of Leopold to Friederica Henrietta von Bernburg, which took place at the end of 1721. Bach had in fact, in November 1720, already tried to make a change by applying – though without success – for the vacant post of choirmaster at the Jakobikirche in Hamburg.

In this context the fact that Bach sent selected concertos to Berlin, in a dedicatory manuscript, beautifully prepared as a fair copy in his own hand, for Christian Ludwig, Margrave of Brandenburg, youngest son of the Electoral Prince, has particular significance. According to the requirements of his secular post, Bach composed almost exclusively keyboard works, chamber music and instrumental concertos during his time at Cöthen. So when he dedicates some of his works to an equally secular master it is natural to suppose that

Vom August 1717 bis zum April 1723 war Johann Sebastian Bach am Hofe des Fürsten Leopold von Anhalt-Köthen als Kapellmeister und Direktor der Fürstlichen Kammermusiken tätig. Über diese Anstellung in Köthen äußerte Bach sich rückblickend in einem Brief an seinen langjährigen Freund Georg Erdmann aus dem Jahre 1730[1], aus dem zu entnehmen ist, daß für Bach offenbar die gutdotierte Kapellmeisterstelle mit einem gewissen Ansehen verknüpft war und er es daher als Rückstufung empfand, sich um ein Kantorenamt bemühen zu müssen. Andererseits deuten Bachs Äußerungen darauf hin, daß die Arbeitsbedingungen in Köthen durch die bevorstehende Heirat Leopolds mit Friederica Henrietta von Bernburg, die Ende des Jahres 1721 erfolgte, zunehmend problematisch wurden, und tatsächlich hatte Bach sich bereits im November 1720 mit seiner – allerdings erfolglosen – Bewerbung um die vakante Kantorenstelle an St. Jakobi in Hamburg beruflich zu verändern versucht.

In diesem Zusammenhang erhält Bachs Übersendung von ausgesuchten Konzerten nach Berlin an den Markgrafen Christian Ludwig von Brandenburg, den jüngsten Sohn des Großen Kurfürsten, in einem von der Hand des Komponisten selbst in kalligraphischer Reinschrift verfertigten Widmungsautograph besondere Bedeutung. Den Obliegenheiten seiner weltlichen Anstellung gemäß komponierte Bach in der Köthener Zeit fast ausschließlich Klavierwerke, Kammermusik und Instrumentalkonzerte. Wenn er also einem

---

[1] *Bach-Dokumente*, Bach-Archiv, Leipzig, edited by Werner Neumann and Hans-Joachim Schulze, Vol. I, Kassel [-Leipzig] 1963, No. 23

[1] *Bach-Dokumente* hg. vom Bach-Archiv Leipzig durch Werner Neumann und Hans-Joachim Schulze, Bd. I, Kassel [– Leipzig] 1963, Nr. 23

he would choose them from this repertory.[2] Furthermore, in the text of the inscription (in French) to the Margrave dated 24 March 1721, he makes reference to concrete grounds for the dedication of these *Six Concerts avec plusiers instruments*, named nowadays, after their dedicatee, the 'Brandenburg Concertos': 'A couple of years ago I had the good fortune to be heard by your majesty [...]. Your majesty honoured me with the request that I send you a few of my compositions.'

The circumstances of this performance have been much puzzled over. A coincidental meeting between Bach and the Margrave in Meiningen, of which Christian Ludwig's brother-in-law was Duke, or in Carlsbad during a trip made by Leopold early in 1718 would be possibilities; it is more likely however that Bach met the Margrave in Berlin at the beginning of 1719. Prince Leopold had ordered a harpsichord and instructed Bach to collect the instrument from Berlin – as can be verified from an item for travel expenses in the accounts for 1 March 1719.[3]

The Margrave may well have expressed the desire to hear more of Bach's compositions at the time of this performance. The fact, however, that Bach did not comply with the Margrave's wishes until the sud-

ebenfalls weltlichen Herrn einige seiner Werke dedizierte, so ist es naheliegend, daß er sie aus diesem Repertoire auswählte[2]. Im Widmungstext vom 24. März 1721 an den Markgrafen (in französischer Sprache) bezieht sich Bach zudem auf einen konkreten Anlaß für die Dedikation dieser *Six Concerts avec plusieurs instruments*, die nach ihrem Widmungsträger die heute geläufige Bezeichnung „Brandenburgische Konzerte" tragen: „Vor ein paar Jahren hatte ich das Glück, mich vor Ihrer Königlichen Hoheit hören zu lassen [...] Eure Königliche Hoheit beliebte mich mit dem Auftrag zu ehren, Ihr einige meiner Kompositionen zu senden."

Über die Umstände des hier angesprochenen Vorspiels ist viel gerätselt worden. Eine zufällige Begegnung Bachs mit dem Markgrafen in Meiningen, dessen Herzog der Schwager Christian Ludwigs war, oder in Karlsbad anläßlich einer Reise Leopolds im Frühjahr 1718, wäre denkbar, wahrscheinlicher aber ist, daß Bach den Grafen direkt in Berlin Anfang des Jahres 1719 aufsuchte. Fürst Leopold nämlich hatte in Berlin einen Kielflügel bestellt und beorderte Bach zur Abholung des Instrumentes dorthin, was der Posten der Reisespesen auf der Abrechnung vom 1. 3. 1719 belegt[3].

Wohl mag der Markgraf anläßlich dieses Vorspiels den Wunsch geäußert haben, von Bach weitere Kompositionen zu hören. Der Umstand jedoch, daß Bach erst nach zwei Jahren plötzlich mit der Dedikation

---

[2] It seems plausible, owing to this contractual relationship, to put the date of composition somewhere between 1717 and 1721.

[3] *Bach-Dokumente*, Vol. II, Kassel-Leipzig 1969, No. 95. Whether Bach was already in Berlin at the time the harpsichord was ordered or only went there to collect it is of secondary importance. The unusual French of the opening of the dedication 'une couple d'années' obviously encouraged the view that the reason for the dedication is to be found at least two years earlier.

[2] Aufgrund dieses Anstellungsverhältnisses erscheint es plausibel, die Entstehung der Konzerte in eben den Jahren zwischen 1717 und 1721 anzusetzen.

[3] *Bach-Dokumente* Bd. II, Kassel–Leipzig 1969, Nr. 95. Ob Bach bereits bei der Bestellung des Flügels in Berlin weilte oder erst bei dessen Abholung, erscheint zweitrangig. Offenbar hat hier das ungebräuchliche Französisch des Widmungsbeginnes „une couple d'années" dazu verführt, den Anlaß für die Widmung unbedingt um mehr als zwei Jahre rückdatieren zu wollen.

den dedication of these six concertos two years later makes it much more likely that a secret request was the real reason behind the sending of the scores.[4]

This theory is supported by further observations. As already mentioned, for the enclosures which accompanied his dedicatory manuscript Bach drew on the repertoire of instrumental concertos which he had in all probability composed in and for Cöthen – taking into account, of course, the circumstances in Berlin, with which he must have been familiar both from his journey there and from the lively exchange of musicians which took place between Cöthen and Berlin. He probably hoped to perform the concertos himself in Berlin.[5]

In its six works the score mirrors the whole range of types of concertante ensemble music current at the time: the third and sixth concertos display the characteristics of social music-making most clearly, the second and fourth more the concerto grosso type, and Concertos 1 and 5 in their final autograph form document the development towards the solo concerto. Furthermore, a comparison with the copies, still in existence, of the early versions of Concertos 1, 2 and 3 made by the Bach

dieser sechs Konzerte dem Wunsch des Markgrafen nachkam, deutet viel eher auf eine versteckte Bewerbung als wahren Grund für die Übersendung der Partitur hin[4].

Diese These läßt sich durch weitere Beobachtungen stützen: Wie bereits erwähnt, schöpfte Bach bei der Anlage seiner Widmungshandschrift aus seinem Repertoire von Instrumental-Konzerten, das er aller Wahrscheinlichkeit nach in und für Köthen komponiert hatte, wobei er natürlich die Berliner Verhältnisse berücksichtigt haben dürfte, die er aufgrund seiner Reise dorthin, aber auch aufgrund des regen Musikeraustausches, der zwischen Köthen und Berlin stattfand, genau gekannt haben muß. Er kann also durchaus gehofft haben, die Konzerte in Berlin selbst einmal aufzuführen[5].

Die Partitur spiegelt mit ihren sechs Werken die gesamte Palette damals gängiger Typen konzertanter Ensemblemusik: das 3. und 6. Konzert prägen am ehesten den Charakter von Gemeinschaftsspielmusiken aus, das 2. und 4. mehr den Concerto-grosso-Typus und die Konzerte 1 und 5 dokumentieren in ihrer endgültigen Form im Autograph die Hinwendung zum Solokonzert. Darüber hinaus erweist ein Vergleich mit den noch vorhandenen Abschriften der Frühfassungen der Kon-

[4] cf. H.-J. Schulze, 'Johann Sebastian Bachs Konzerte – Fragen der Überlieferung und Chronologie', in *Bach-Studien 6. Beiträge zum Konzertschaffen Johann Sebastian Bachs*, Leipzig 1981, p. 15

[5] There is as much uncertainty over the performability of the works as over the date of origin. It appears that the pieces as handed down to Penzel, and thus as they were to be found in Cöthen, were certainly performable there. There is no reliable information about the conditions in Berlin. See Heinz Becker, review of 'Johann Sebastian Bach, Sechs Brandenburgische Konzerte hrsg. von Heinrich Besseler, Neue Bach-Ausgabe, Serie VII, Bd. 2 [...], Kritischer Bericht', in *Die Musikforschung* 1960, pp. 115ff.

[4] vgl. hierzu H.-J. Schulze, *Johann Sebastian Bachs Konzerte – Fragen der Überlieferung und Chronologie*, in: *Bach-Studien 6. Beiträge zum Konzertschaffen Johann Sebastian Bachs*, Leipzig 1981, S. 15

[5] Über die Aufführbarkeit der Werke ist ebenso viel gerätselt worden wie über ihr Entstehungsdatum. Sicher scheint es inzwischen zu sein, daß die Werke so, wie sie von Penzel überliefert wurden und also in Köthen wohl zur Verfügung standen, dort auch aufführbar waren. Über die Berliner Verhältnisse existieren keine verläßlichen Angaben. Vgl. Heinz Becker, Rezension *Johann Sebastian Bach, Sechs Brandenburgische Konzerte, hrsg. von Heinrich Besseler, Neue Bach-Ausgabe, Serie VII, Bd. 2 [...], Kritischer Bericht*, in: *Die Musikforschung* 1960, S. 115 ff.

VI

scholar Christian Friedrich Penzel shortly after Bach's death in Leipzig, and of Concerto No. 5 made by Johann Christoph Altnickol, shows that the diversity of the concerto type was extended in many respects in the writing out of the dedicatory score. Bach enriched the instrumentation by the use of unusual instruments such as the violino piccolo in No. 1 and flauto d'éco in No. 4; he divided the cello part in No. 3 and expanded the cadenzas of the solo instruments in Concerto No. 5. In addition, the treatment of the sequence of movements shows Bach's desire to display his skills to the full – by choosing a two-movement composition for the third piece and by extending the first concerto in the drawing up of the manuscript to a quasi four-movement piece.

Although Bach provides a representative cross-section of his concertos in the dedicatory score, it would be mistaken to think of them in terms of a cycle. We have here merely a collection of pre-existing concertos composed as individual works.

After the death of Margrave Christian Ludwig the dedicatory manuscript came into the possession of the Bach scholar Johann Philipp Kirnberger. He in turn handed the score on to his pupil Princess Amalie of Prussia and it was bequeathed with her library to the Joachimsthalschen Gymnasium. From there the score was finally passed on to the Berlin Staatsbibliothek. It was not published until 1850 when, on the centenary of Bach's death, the Brandenburg Concertos were printed for the first time by C. F. Peters in Leipzig.

zerte 1, 2 und 3 durch den Bach-Schüler Christian Friedrich Penzel, die dieser kurz nach Bachs Tod in Leipzig anfertigte, sowie des 5. Konzertes durch Johann Christoph Altnickol, daß die Vielgestaltigkeit der Konzert-Typen in mancher Hinsicht bei der Niederschrift der Widmungspartitur noch erweitert wurde. So bereicherte Bach die Besetzung durch die Verwendung ungebräuchlicher Instrumente wie des *Violino piccolo* im 1. und des *Flauto d'echo* im 4. Konzert, differenzierte den Cellopart im 3. und erweiterte die Kadenz des Soloinstrumentes im 5. Konzert. Außerdem zeigt die Behandlung der Satzfolge Bachs Intention, sein umfassendes Können zur Schau zu stellen, wenn er als drittes Stück eine zweisätzige Komposition auswählt und für die Erstellung des Autographs das 1. Konzert quasi zur Viersätzigkeit erweitert.

Obwohl Bach mit der Widmungspartitur die Darstellung eines repräsentativen Querschnittes durch sein Konzertschaffen gibt, wäre es verfehlt, von einem Zyklus zu sprechen: es handelt sich lediglich um eine Sammlung präexistenter und als Einzelwerke komponierter Konzerte.

Das Widmungsautograph gelangte nach dem Tode des Markgrafen Christian Ludwig in den Besitz des Bach-Schülers Johann Philipp Kirnberger. Dieser wiederum übereignete die Partitur seiner Schülerin Prinzessin Amalie von Preußen, mit deren nachgelassener Bibliothek sie dem Joachimsthalschen Gymnasium ausgehändigt wurde, von wo sie schließlich in den Besitz der Berliner Staatsbibliothek überging. Erst 1850, zu Bachs 100. Todestag, erschienen die *Brandenburgischen Konzerte* beim Verlag C. F. Peters in Leipzig erstmals im Druck.

CONCERTO No. 5, BWV 1050

'It is a classical work of the baroque era.'[6] In view of the evident popularity of the Fifth Brandenburg Concerto with the concert-going public, such an assessment of the work may seem quite fitting. In point of fact, judgements of this kind, both reflecting and purporting to account for the work's popularity, are by no means recent. The very fact that an exceptionally large number of copies of this particular work were made in the eighteenth and early nineteenth centuries would seem to single it out among the set of Brandenburg Concertos and to imply that it was early to win recognition, at least among musical connoisseurs. This is particularly remarkable given that the Brandenburg Concertos continued to lead a shadowy existence in the concert hall long after they had first been brought out in a printed edition by Siegfried Wilhelm Dehn in 1850. On the other hand, we should not date the popular dissemination of the Concerto too early. Some of the copies of the parts may well have been used for purposes of occasional performance before the date of the first edition, but evidence of public performances of any of the Brandenburg Concertos during this period, the Fifth included, is sparse.[7] All the same, the copies of the Fifth Concerto in D major may be regarded as documents of the work's reception and can serve to

---

[6] Rudolf Gerber, *Bachs Brandenburgische Konzerte. Eine Einführung in ihre formale und geistige Wesensart*, Kassel ²1965, p. 52

[7] The inclusion of a performance of the Fifth Concerto in the 'Friday performances' of the Berlin Singakademie under Carl Friedrich Zelter on 19 February 1808 is one of the few instances that might be mentioned (information in Georg Schünemann, 'Die Bachpflege der Berliner Singakademie', in *Bach-Jahrbuch* 1928, p. 144). Zelter's performances, however, were not typical occasions, and they did not serve as the basis for any real performance tradition of the Brandenburg Concertos. On this, cf. Karl Heller, 'Die Konzerte in der Bachpflege

KONZERT Nr. 5, BWV 1050

„Das Werk ist Klassik im Barock."[6] Vergegenwärtigt man sich die Popularität, die das fünfte *Brandenburgische Konzert* offensichtlich in der Gunst des Konzertpublikums genießt, so mag eine solche Bewertung als durchaus angemessen erscheinen. Jedoch haben derartige Urteile, in denen sich die Beliebtheit des Werkes spiegelt, und mit denen diese begründet werden soll, ihre eigene Tradition. Schon die außerordentlich große Zahl von Abschriften, die von gerade diesem Konzert im 18. und frühen 19. Jahrhundert angefertigt worden sind, scheint es aus der Sammlung der *Brandenburgischen Konzerte* herauszuheben und läßt vermuten, daß es zumindest unter den Kennern der Musik eine frühe Wertschätzung erfuhr. Dies erstaunt einerseits um so mehr, als die *Brandenburgischen Konzerte* noch lange nach der ersten Drucklegung, die Siegfried Wilhelm Dehn 1850 besorgte, ein Schattendasein im Konzertleben führten. Andererseits aber sollte die zahlreiche und frühe Verbreitung des Konzertes nicht überbewertet werden; zwar mögen einzelne der Stimmenabschriften gelegentlichen Aufführungen vor dem Datum der Erstausgabe gedient haben, jedoch lassen sich öffentliche Darbietungen sowohl des fünften wie der übrigen *Brandenburgischen Konzerte* in dieser Zeit nur spärlich belegen[7]. Immerhin können die Abschriften

---

[6] Rudolf Gerber, *Bachs Brandenburgische Konzerte. Eine Einführung in ihre formale und geistige Wesensart*, Kassel ²1965, S. 52

[7] Die Aufführung des fünften Konzerts in den „Freitagsaufführungen" der Berliner Singakademie durch Carl Friedrich Zelter am 19. Februar 1808 wäre als eines der wenigen Beispiele hier zu nennen (Angabe nach Georg Schünemann, *Die Bachpflege der Berliner Singakademie*, in: *Bach-Jahrbuch* 1928, S. 144). Freilich hatten die Zelterschen Aufführungen Ausnahmecharakter, eine tatsächliche Aufführungstradition der *Brandenburgischen Konzerte* konnte durch sie nicht begründet werden; vgl. hierzu Karl Heller, *Die Konzerte in der Bach-*

throw light on the way in which it was perceived.

Whereas the title in the dedicatory autograph score is *Concerto 5 <u>to</u>. á une Traversiere, une Violono principale, une Violono è una Viola in ripieno/Violoncello, Violone è Cembalo concertato.*, some of the later copies of the work describe it simply as a keyboard concerto.[8] The keyboard concerto, of course, exemplified *par excellence* the genre of the virtuoso solo concerto, as this developed from the Viennese classical period onwards. To the extent that the Fifth Brandenburg Concerto resembled the standard solo keyboard concerto, it thus took on a certain contemporaneity which gained it the recognition that is attested by most of the copies.[9] Although the Fifth Brandenburg Concerto was appropriated less fully into the category of the classical keyboard concerto than, say, the Concertos in D minor for one and three soloists (BWV 1052 and 1063) – these works had already found a place in the repertoires of some of the most famous pianists by about 1840[10] – this remains the root of its popularity at the present day.

des fünften Konzertes in D-Dur als Rezeptionszeugnisse betrachtet werden, die darüber Aufschluß zu geben vermögen, unter welchen Vorzeichen dem Werk begegnet wurde.

Lautet der Titel in der autographen Widmungspartitur *Concerto 5<u>to</u>. á une Traversiere, une Violino principale, une Violino è una Viola in ripieno / Violoncello, Violone è Cembalo concertato.*, so bezeichnen einige der späteren Abschriften das Werk kurz als Klavierkonzert[8]. Nun war jedoch das Klavierkonzert die Gattung des virtuosen Solokonzertes par excellence, wie es seit der Wiener Klassik seine Ausprägung erfahren hatte, und insofern das 5. *Brandenburgische Konzert* diesem Typus des Klavier-Solokonzerts entgegenkam, konnte es eine relative Aktualität gewinnen, die ihm jene Aufmerksamkeit sicherte, die sich in der großen Zahl der Abschriften dokumentiert[9]. In diesem Aneignungsprozeß im Zeichen des klassischen Klavierkonzerts, der dem 5. *Brandenburgischen Konzert* freilich nicht in solchem Maße widerfuhr, wie etwa den Konzerten in d-Moll für einen bzw. drei Solisten BWV 1052 und 1063, die bereits um 1840 einen Platz im Repertoire einiger der berühmtesten Pianisten hatten[10], liegen

und im Bachbild des 18. und frühen 19. Jahrhunderts', in *Bach-Studien 6. Beiträge zum Konzertschaffen Johann Sebastian Bachs*, Leipzig 1981, pp. 127–138, especially pp. 131 and 134f.

[8] See, for instance, the copy Mus.ms. Bach P 264 (O), *Concerto per il Cembalo /da Giov. Seb. Bach.*, or H 713 (S^P), *Concert für das Klavier /mit Begleitung /von /1 Flöte, Violino principale, V^{no} ripieno, /Viola, Violoncello et Basso continuo / von /Joh:Seb:Bach.*

[9] On the connection between Bach's concerto writing, especially the position of the present Concerto, and the history of the keyboard concerto as a genre, cf. Werner Breig, 'Johann Sebastian Bach und die Entstehung des Klavierkonzerts', in *Archiv für Musikwissenschaft* 1979, pp. 21–48.

[10] On this group of works generally, cf. the article by Karl Heller cited in fn. 7 above.

pflege und im Bachbild des 18. und frühen 19. Jahrhunderts, in: *Bach-Studien 6. Beiträge zum Konzertschaffen Johann Sebastian Bachs*, Leipzig 1981, S. 127–138, im besonderen S. 131 und 134f.

[8] In diesem Sinne etwa die Abschrift Mus.ms. Bach P 264 (O): *Concerto per il Cembalo /da Giov. Seb. Bach.* oder H 713 (S^P): *Concert für das Klavier / mit Begleitung / von / 1 Flöte, Violino principale, V^{no} ripieno, / Viola, Violoncello et Basso continuo / von / Joh:Seb:Bach.*

[9] Zum Zusammenhang des Bachschen Konzertschaffens, insbesondere der Stellung des vorliegenden Konzertes, mit der Gattungsgeschichte des Klavierkonzerts vgl. Werner Breig, *Johann Sebastian Bach und die Entstehung des Klavierkonzerts*, in: *Archiv für Musikwissenschaft* 1979, S. 21–48.

[10] vgl. zu diesem Komplex insgesamt die unter Anm. 7 genannte Arbeit von Karl Heller.

The result of this perception was that it seemed obvious at first that the Fifth Brandenburg Concerto should be assigned a late dating. A work which was held to exemplify a comparatively 'new' type of concerto, in terms of style and the history of the genre, must, it was believed, have a date of composition not long before the date of the preparation of the dedicatory score. Conversely, those Concertos in the set, such as the Sixth, which represented an 'older' concerto type were assumed to have been composed earlier.[11] In fact, however, it is the very source tradition for the Concerto BWV 1050 that enables us to draw inferences about the work's genesis which show that this chronological scheme, based essentially on comparative stylistic features of the Concertos, must be scaled down, if not amended.[12] An early version of the Concerto (BWV 1050a) survives in the form of a copy of the instrumental parts made

---

[11] cf. Heinrich Besseler, 'Zur Chronologie der Konzerte Joh. Seb. Bachs', in *Festschrift Max Schneider zum achtzigsten Geburtstage*, ed. W. Vetter, Leipzig 1955, pp. 115-128. Besseler places the Sixth Concerto in the stylistic period of the 'works of 1718', whereas the Fifth Concerto is dated 'about 1720'. The essay by Martin Geck, 'Gattungstraditionen und Altersschichten in den Brandenburgischen Konzerten', in *Die Musikforschung* 1970, pp. 139-152, dealing with the First, Third and Sixth Concertos, extends this hypothesis and suggests a shift of dating of these works back into Bach's Weimar period. For a critique of Besseler's methodology, cf., in addition to the works cited in fn. 12 below, the following articles by Werner Breig: 'Probleme der Analyse in Bachs Instrumentalkonzerten', in *Bachforschung und Bachinterpretation heute. Wissenschaftler und Praktiker im Dialog. Bericht über das Bachfest-Symposium 1978 der Philipps-Universität Marburg*, ed. R. Brinkmann, Leipzig 1981, pp. 127-136, and 'Zur Chronologie von Johann Sebastian Bachs Konzertschaffen. Versuch eines neuen Zugangs', in *Archiv für Musikwissenschaft* 1983, pp. 77-101.

[12] For what follows, cf. Alfred Dürr, 'Zur Entstehungsgeschichte des 5. Brandenburgischen

---

die Wurzeln der Popularität, die dieses Konzert heute genießt.

Aufgrund eines solchen Werkverständnisses schien es nun zunächst naheliegend, das 5. *Brandenburgische Konzert* dementsprechend spät zu datieren. Dem Eindruck eines stilistisch und gattungsgeschichtlich relativ „jungen" Konzerttypus entspräche somit ein Kompositionsdatum, das kurz vor der Niederschrift der Widmungspartitur anzusetzen wäre, wohingegen für solche Konzerte der Sammlung, die einen „älteren" Konzerttypus verkörpern, etwa das sechste Konzert, in Analogie hierzu ein früheres Entstehungsdatum angenommen wurde[11]. Gerade die Quellenüberlieferung des Konzerts BWV 1050 erlaubt es jedoch, Rückschlüsse auf die Entstehungsgeschichte dieser Komposition zu ziehen, die die Ergebnisse einer solchen Werkchronologie, die sich im wesentlichen auf Stilvergleiche der Konzerte gründet, zumindest relativieren, wenn nicht gar korrigieren[12]. So ist mit einer von Bachs

---

[11] vgl. hierzu Heinrich Besseler, *Zur Chronologie der Konzerte Joh. Seb. Bachs*, in: *Festschrift Max Schneider zum achtzigsten Geburtstage*, hg. von W. Vetter, Leipzig 1955, S. 115-128, der das angesprochene sechste Konzert in die Stilperiode der „Werke um 1718", das fünfte Konzert dagegen „um 1720" datiert. Diesen Ansatz weiterführend, beschäftigt sich der Aufsatz von Martin Geck, *Gattungstraditionen und Altersschichten in den Brandenburgischen Konzerten*, in: *Die Musikforschung* 1970, S. 139-152, mit den ersten, dritten und sechsten Konzert und erwägt eine Datierung dieser Werke zurück in Bachs Weimarer Zeit. Zur Kritik des methodischen Vorgehens von Besseler vgl. neben den in Anm. 12 genannten Titeln von Werner Breig die Arbeiten *Probleme der Analyse in Bachs Instrumentalkonzerten*, in: *Bachforschung und Bachinterpretation heute. Wissenschaftler und Praktiker im Dialog. Bericht über das Bachfest-Symposium 1978 der Philipps-Universität Marburg*, hg. von R. Brinkmann, Leipzig 1981, S. 127-136, und *Zur Chronologie von Johann Sebastian Bachs Konzertschaffen. Versuch eines neuen Zugangs*, in: *Archiv für Musikwissenschaft* 1983, S. 77-101.

[12] Zum Folgenden vgl. Alfred Dürr, *Zur Entstehungsgeschichte des 5. Brandenburgischen Kon-*

X

by Bach's son-in-law and pupil Johann Christoph Altnickol and three other unknown copyists. For several reasons the date of composition of this version has to be set considerably earlier than that of the preparation of the dedicatory copy in 1721 and the associated revision of the Concerto, and this means that as far as its essential core is concerned, the work should be reckoned among the earlier members of the collection of *Six Concerts Avec plusieurs Instruments*.

The very fact that Bach's revision entailed the complete recomposition of certain passages speaks for this conclusion. It makes it highly improbable that the composition of the early version and the preparation of the new version happened within a short space of time of one another: it would scarcely have been necessary, and would certainly not have been economical, to amend a new work immediately after it had been composed. And comparison of the work in its earlier form, as it survives in copy, with the revised version[13] certainly reveals a sizeable disparity between the two in compositional terms. A vital point here is that in the first version there was clearly no provision for a separate violoncello part. The violone part probably did not exist in a

Schwiegersohn und Schüler Johann Christoph Altnickol und drei weiteren, unbekannten Kopisten angefertigten Stimmenabschrift das Konzert in einer Frühfassung (BWV 1050a) überliefert, deren Komposition aus mehreren Gründen in einem größeren Zeitabstand vor der Erstellung des Widmungsexemplares 1721 und der damit verbundenen Umarbeitung des Konzerts anzusetzen ist, was hieße, daß das Werk in seiner Substanz eher zu den älteren innerhalb der Sammlung der *Six Concerts Avec plusieurs Instruments* zu zählen wäre.

Hierfür spricht allein schon die Tatsache, daß Bach eine Umarbeitung vornahm, in deren Zuge einzelne Partien völlig neu komponiert wurden: Eine unmittelbare zeitliche Nähe zwischen der Komposition der Frühfassung und deren Neufassung ist dadurch mit großer Wahrscheinlichkeit auszuschließen, denn eine Neukomposition sofort nach der Entstehung umzuändern, wäre wohl kaum erforderlich und jedenfalls nicht ökonomisch gewesen. Ein Vergleich der abschriftlich überlieferten frühen Werkgestalt mit der Umarbeitung[13] läßt nun in der Tat auch kompositorisch einen recht großen Abstand zwischen den beiden Fassungen erkennen. Ein wesentliches Moment dabei ist, daß in ersterer ein eigener Violoncello-

Konzerts', in *Bach-Jahrbuch* 1975, pp. 63–69, and Hans-Joachim Schulze, preface to facsimile edition of the autograph set of parts of BWV 1050, Mus.ms. Bach St 130, Leipzig 1975, pp. 5–10; cf. also the same author's essay, 'Johann Sebastian Bachs Konzerte – Fragen der Überlieferung und Chronologie', in *Bach-Studien 6. Beiträge zum Konzertschaffen Johann Sebastian Bachs*, Leipzig 1981, pp. 9–26, especially pp. 10 and 15f.

[13] Strictly, we should speak of two revised versions, since Bach's copy of the parts (Mus.ms. Bach St 130) also differs in several respects from the text of the dedicatory score (cf. the discussion of the sources in the Editorial Notes and *Einzelanmerkungen* below).

zerts, in: *Bach-Jahrbuch* 1975, S. 63 – 69, und Hans-Joachim Schulze im Vorwort zur Faksimileausgabe des autographen Stimmensatzes Mus.ms. Bach St 130 von BWV 1050, Leipzig 1975, S. 5 – 10, sowie von demselben Autor den Aufsatz *Johann Sebastian Bachs Konzerte – Fragen der Überlieferung und Chronologie*, in: *Bach-Studien 6. Beiträge zum Konzertschaffen Johann Sebastian Bachs*, Leipzig 1981, S. 9 – 26, insbesondere S. 10 und 15f.

[13] Eigentlich müßte von zwei umgearbeiteten Fassungen gesprochen werden, denn auch Bachs Stimmenabschrift (Mus.ms. Bach St 130) unterscheidet sich noch in mancher Hinsicht vom Text der Widmungspartitur (vgl. hierzu die Angaben zur Quellenbeschreibung im nachstehenden Revisionsbericht sowie die Einzelanmerkungen).

separately written form either, but was coextensive with the bass of the harpsichord part, with simplifications and omissions.[14] It is clear, in other words, that in the earlier version the ripieno group consisted solely of the violin and viola parts and the continuo, the latter made up of the harpsichord figured bass and the violone part derived from it. In the later version, on the other hand, the ripieno group was strengthened by the addition of the violoncello, while the continuo part, with the detachment of the violone as well as the violoncello from the harpsichord bass, underwent a process of refinement. This impression is further reinforced by the treatment of the solo parts for violin and transverse flute, which show little sign of having been styled in accordance with the specific characters of the instruments. The same is true of the harpsichord part in the earlier version, where it is still fairly closely tied to the concertino group; only in the revised version does it acquire its distinctive character, exploiting its own virtuoso potential and thereby, indeed, creating a contrast with the simple and relatively homogeneous treatment of the solo violin and flute. In this sense the expansion of the harpsichord cadenza in the first movement, from 18 bars in the early version to 65 bars in the later version, appears as the culmination of a more comprehensive process of compositional restructuring: the Concerto, while still showing clear traces of direct adaptation from a concerto grosso of the Vivaldi type, is now indeed elaborated in such a way as to accommodate certain specific aspects of the baroque solo concerto within the concerto grosso framework, although the prior shape and genre of the work are not fundamentally affected.[15] The result, however, is that there is some justification

part offensichtlich noch überhaupt nicht vorgesehen war, wie auch der Violonepart vermutlich nicht eigens ausgeschrieben vorlag, sondern mit dem Cembalobaß unter Vereinfachungen und Auslassungen zusammenfiel[14]. Dies bedeutet also, daß in der Frühfassung die Ripienogruppe lediglich die zwei Stimmen der Violine und Viola sowie das Continuo, bestehend aus dem bezifferten Cembalobaß und daran angelehntem Violone, umfaßte, wohingegen in der Neufassung die Ripienogruppe mit dem Violoncello einerseits verstärkt wurde und andererseits der Continuopart, infolge satztechnischer Loslösung des Violone wie auch des Cellos vom Cembalobaß, eine Differenzierung erfuhr. Diesem Eindruck entspricht ferner die Behandlung der solistischen Violine und der Querflöte, deren Parts eine jeweils instrumentenspezifische Ausformung kaum erkennen lassen, wie auch der in der Frühfassung innerhalb der Concertinogruppe noch eher eingebundene Cembalopart, der erst mit der Umarbeitung seine charakteristische, einem eigenen virtuosen Duktus folgende Gestalt erhielt, gegen die die einfache und relativ gleichförmige Behandlung der Solovioline und der Flöte allerdings umso stärker absticht. In diesem Zusammenhang erweist sich die Erweiterung der Cembalokadenz im ersten Satz auf 65 Takte gegenüber 18 Takten der Frühfassung als Kulminationspunkt eines umfassenderen Prozesses kompositorischer Neugestaltung, in dem in der Tat ein Konzert, das noch deutliche Spuren einer unmittelbaren Adaption des Vivaldischen Concerto-grosso-Typus zeigt, erst jene Ausformulierung erhielt, die spezifischen Teilmomenten des barocken Solokonzerts im Rahmen des Concerto grosso Raum schuf, ohne freilich damit die gegebene Werk-

---

[14] This can be deduced from the fragmentary state of the violone part in Altnickol's copy: cf. Alfred Dürr, op. cit., p. 66.

[14] Dies kann aus der fragmentarischen Gestalt der Violonestimme in Altnickols Abschrift geschlossen werden, vgl. Alfred Dürr, a.a.O., S. 66.

for shifting the hypothetical date of origin of the Concerto in its early version to somewhere around the time of the fresh appraisal of the concerto writing of Vivaldi that Bach may well have been spurred into making in 1717 as a result of his stay in Dresden,[16] and away from the period immediately preceding the preparation of the dedicatory score.

All told, the insights into the genesis of the Fifth Brandenburg Concerto which are made possible by the distinctive nature of its sources mean that when we consider the work and its artistic and cultural background we are impelled to see the Concerto

gestalt und Gattung grundsätzlich anzutasten[15]. Somit aber kann mit einiger Berechtigung ein hypothetisch anzunehmendes Entstehungsdatum des Konzerts in seiner Frühfassung eher in die Nähe der neuerlichen Auseinandersetzung mit dem Konzertschaffen Vivaldis, zu der Bach wohl im Jahre 1717 anläßlich seines Aufenthalts in Dresden angeregt wurde[16], gerückt, als im Vorfeld der Einrichtung der Widmungspartitur gesehen werden.

Schließlich jedoch vermögen die Einblicke in die Werkgenese des 5. *Brandenburgischen Konzerts*, die sich aufgrund seiner besonderen Quellenlage eröffnen, einem auf dieses Werk wie auf seinen künstlerischen und kulturellen Hinter-

---

[15] In this connection, Hans-Joachim Schulze in his essay in *Bach-Studien 6* speaks of a 'massive revaluation' of the Concerto (op. cit., p.15), which suggests an early date of composition for the Concerto in its first version. In the light, however, of Schulze's supposition of the 'disguised application to Berlin' that may have been connected with Bach's preparation and dedication of the representative selection of concertos to the Margrave, this 'revaluation' would take on added significance.

[16] cf. Rudolf Eller, 'Vivaldi – Dresden – Bach', in *Beiträge zur Musikwissenschaft* 1961, pp. 31–48, reprinted in *Johann Sebastian Bach*, ed. W. Blankenburg (*Wege der Forschung*, Vol. CLXX), Darmstadt 1970, pp. 466–492. Shifting the date back to 1717 would certainly make further comparative analysis and research necessary; pointers in this direction are given in the analysis by Rudolf Eller included in his introduction to the work in 'Die Orchester- und Kammermusikwerke', in *38. Deutsches Bachfest in Verbindung mit der 750-Jahr-Feier der Thomaner* (Bach festival volume), Leipzig 1962, pp. 82–87. A date of composition before 1717, i.e. in Bach's Weimar period, is ruled out on present evidence, as there is no record of Bach using a transverse flute during that time. In addition, there is no conclusive link between the composition of this Concerto and the acquisition of a two-manual harpsichord for the Cöthen court in 1719, since there are no instructions by Bach concerning manual changes, for example, either in the autograph set of parts or in the score.

[15] Hans-Joachim Schulze spricht in seinem Beitrag in den *Bach-Studien 6* in diesem Zusammenhang von einer „massiven Aufwertung" des Konzerts (a.a.O., S. 15), die ein frühes Entstehungsdatum des Konzerts in seiner ersten Fassung nahelegt, zugleich aber im Lichte der von Schulze vermuteten „verkappten Bewerbung nach Berlin", die Bach mit der Anfertigung und Widmung der repräsentativen Konzertsammlung an den Markgrafen verbunden haben könnte, einen tieferen Sinn erhielte.

[16] vgl. Rudolf Eller, *Vivaldi – Dresden – Bach*, in: *Beiträge zur Musikwissenschaft* 1961, S. 31–48, wiederabgedruckt in: *Johann Sebastian Bach*, hg. von W. Blankenburg (*Wege der Forschung*, Bd. CLXX), Darmstadt 1970, S. 466–492. Eine Rückdatierung des Konzerts gegen 1717 erforderte freilich weitergehende vergleichende Analysen und Untersuchungen; Hinweise in diese Richtung enthält die Analyse Rudolf Ellers innerhalb seiner Werkeinführung in *Die Orchester- und Kammermusikwerke*, in: *38. Deutsches Bachfest in Verbindung mit der 750-Jahr-Feier der Thomaner* (Bach-Fest-Buch), Leipzig 1962, S. 82–87. Immerhin ist ein Entstehungszeitpunkt vor 1717, also in Bachs Weimarer Zeit, bislang auszuschließen, da ein Gebrauch der Querflöte bei Bach in diesem Zeitabschnitt nicht belegt ist. Ferner läßt sich auch keine Verbindung der Komposition dieses Konzertes mit der Neuanschaffung eines zweimanualigen Cembalos für den Köthener Hof im Jahre 1719 schlüssig erkennen, da Bach weder in der autographen Stimmenniederschrift noch in der Partitur Angaben etwa für Manualwechsel eintrug.

in terms of the particular conditions that shaped it – not as a 'classical work of the baroque era', but as an expression of the specific possibilities inherent in Baroque music.

grund gerichteten Verstehen Impulse zu geben, das Konzert aus den ihm eigenen Bedingungen heraus, wie sie ihm Gestalt verliehen, zu begreifen: nicht als „Klassik im Barock", sondern als ein Ausdruck der spezifischen Möglichkeiten von Musik des Barock.

Editorial Notes

Revisionsbericht

The sources

Die Quellen

A Autograph score (dedicatory copy for the Margrave of Brandenburg): Deutsche Staatsbibliothek, East Berlin, Sign. Am. B. 78. The Fifth Concerto is on folios 58^r-77^v of the volume.

A Autographe Partitur (Widmungsexemplar für den Markgrafen von Brandenburg): Deutsche Staatsbibliothek Berlin-Ost, Sign. Am. B. 78. Das fünfte Konzert befindet sich auf den Blättern 58^r-77^v des Partiturbandes.

B Autograph set of instrumental parts: Deutsche Staatsbibliothek, East Berlin, Sign. Mus.ms. Bach St 130.

B Autographer Stimmensatz: Deutsche Staatsbibliothek Berlin-Ost, Sign. Mus. ms. Bach St 130.

C Copy of the instrumental parts of the early version of the Concerto (BWV 1050a) in the hand of Johann Christoph Altnickol and three other unknown copyists, made c. 1750: Staatsbibliothek Preussischer Kulturbesitz, West Berlin, Sign. Mus.ms. Bach St 132. This set of parts comprises two harpsichord parts. The part entitled *CEMBALO CONCERTATO*, together with the parts for *Flauto Traverso, Violino concertato, Violino, Viola* and *Violone* (1st instrumental group, abbr. C_1 below), constitutes the source from which the early version survives. Its most notable feature, apart from numerous variant readings, is the fact that the harpsichord cadenza in the first movement occupies only 18 bars. In this version the violone part, which is a simplified derivative of the bass line of the harpsichord, survives only in the first movement; the remainder of the violone part was later completed by Carl Friedrich Zelter on the basis of source A. The parts for *Cembalo* and *Violoncello solo* (2nd instrumental

C Stimmenabschrift der Frühfassung des Konzerts (BWV 1050a) von der Hand Johann Christoph Altnickols und drei weiteren, unbekannten Schreibern, entstanden um 1750: Staatsbibliothek Preußischer Kulturbesitz Berlin-West, Sign. Mus.ms. Bach St 132. Der Stimmensatz umfaßt zwei Cembalostimmen, die mit *CEMBALO CONCERTATO* überschriebene Stimme ist zusammen mit den Stimmen *Flauto Traverso, Violino concertato, Violino, Viola* und *Violone* (1. Stimmengruppe, im folgenden: C_1) Überlieferungsträger der Frühfassung, als deren auffälligstes Merkmal neben zahlreichen Lesartenvarianten die nur 18 Takte umfassende Cembalokadenz im ersten Satz anzusehen ist. Vom Violonepart, der in vereinfachender Anlehnung der Baßstimme des Cembalo folgt, ist lediglich der erste Satz in dieser Fassung überliefert, die Stimme wurde von Carl Friedrich Zelter nach Quelle A später zu Ende geschrieben. Die Stimmen *Cembalo und Violoncello solo* (2. Stimmengruppe: C_2) sind von der Hand eines

group, or C_2) are in the hand of a further unknown copyist and were clearly added to the C_1 set later. The violoncello part in this copy also includes the second movement, derived from the bass part of the harpsichord, though with omissions. All of these parts contain additions and corrections in Zelter's hand, based on version A.

Additional copies are as follows: copy of the parts, Mus.ms. Bach St 164 (D), Staatsbibliothek Preussischer Kulturbesitz, West Berlin; copy of the score, Mus.ms. 534/2 (E), Hessische Landes- und Hochschulbibliothek, Darmstadt; copies of the score, Mus.ms. Bach P 261 (F), Mus.ms. Bach P 262 (G), Mus.ms. Bach P 263 (H), and copies of the parts, Mus.ms. Bach St 133 (I) and Mus.ms. Bach St 131 (K), all Staatsbibliothek Preussischer Kulturbesitz, West Berlin; copy of the parts, Mus.ms. 534/3 (L), and copy of the score, Mus.ms. 534/1, in the hand of J. Skaup (M), Hessische Landes- und Hochschulbibliothek, Darmstadt; copies of the score, Mus.ms. Bach P 306 (N) and Mus.ms. Bach P 264 (O), Staatsbibliothek Preussischer Kulturbesitz, West Berlin; copy of the parts, Poel. mus.Ms. 37 (P), Musikbibliothek der Stadt Leipzig; copy of the score in a compilation volume, posthumous papers of Felix Mendelssohn Bartholdy, Ms.M.Deneke Mendelssohn C. 62 (Q), Bodleian Library, Oxford; copy of the score, Cod.mus.II, fol. 249 (R), Württembergische Landesbibliothek, Stuttgart; copy of the score (S^P) with corresponding set of parts (S^{St}), H 713 (formerly Staatliche Akademie für Kirchen- und Schulmusik, Berlin), and copy of the parts, Ms. Thulemeier 3 (T), Deutsche Staatsbibliothek, East Berlin; copy, posthumous papers of Ernst Rudorff (U), now in an unknown private collection (cf. Nancy B. Reich, 'The Rudorff Collection', in *Notes*, 1974, p. 257; the present editors have been unable to consult this copy).

weiteren unbekannten Schreibers und wurden dem Stimmensatz C_1 offenbar nachträglich hinzugefügt. Die Violoncellostimme bringt in dieser Abschrift auch den zweiten Satz unter Anlehnung, aber mit Auslassungen, an die Baßstimme des Cembalo. Alle Stimmen tragen Zusätze und Korrekturen von der Hand Zelters nach Fassung A.

Die weiteren Abschriften sind: Stimmenabschrift Mus.ms. Bach St 164 (D), Staatsbibliothek Preußischer Kulturbesitz Berlin-West; Partiturabschrift Mus.ms. 534/2 (E), Hessische Landes- und Hochschulbibliothek Darmstadt; Partiturabschriften Mus.ms. Bach P 261 (F), Mus.ms. Bach P 262 (G), Mus.ms. Bach P 263 (H) und Stimmenabschriften Mus.ms. Bach St 133 (I) und Mus.ms. Bach St 131 (K), alle Staatsbibliothek Preußischer Kulturbesitz Berlin-West; Stimmenabschrift Mus.ms. 534/3 (L) und Partiturabschrift Mus.ms. 534/1 von der Hand J. Skaups (M), Hessische Landes- und Hochschulbibliothek Darmstadt; Partiturabschriften Mus.ms. Bach P 306 (N) und Mus.ms. Bach P 264 (O), Staatsbibliothek Preußischer Kulturbesitz Berlin-West; Stimmenabschrift Poel. mus. Ms. 37 (P), Musikbibliothek der Stadt Leipzig; Partiturabschrift in einem Konvolut aus dem Nachlaß Felix Mendelssohn Bartholdys Ms. M. Deneke Mendelssohn C.62 (Q), Bodleian Library, Oxford; Partiturabschrift Cod.mus.II, fol. 249 (R), Württembergische Landesbibliothek Stuttgart; Partiturabschrift (S^P) mit dazugehörigem Stimmensatz (S^{St}) H 713 (ehemals Staatliche Akademie für Kirchen- und Schulmusik, Berlin) und Stimmenabschrift Ms.Thulemeier 3 (T), Deutsche Staatsbibliothek Berlin-Ost; Abschrift aus dem Nachlaß von Ernst Rudorff (U) in nicht bekanntem Privatbesitz (vgl. hierzu Nancy B. Reich, *The Rudorff Collection*, in: *Notes* 1974, S. 257; die Abschrift konnte von den Herausgebern nicht eingesehen werden).

Sources D and E lack the violone part; the sheet for the violoncello part in D contains the later addition, 'c Violone'. In addition, E contains only the first and second movements of the Concerto, in the hand of Franz Hauser and another copyist whose name is not known; bars 177-185 of the third movement in the version of source B are notated on an appended sheet (fol. 21; Mus.ms. 534), with the rubric, written by Franz Hauser, 'Variante nach Penzels Copie / nach dem Autogr:' (Variant based on Penzel's copy / based on the autograph). The parts constituting source I contain entries in the hand of Carl Friedrich Zelter; the harpsichord part is missing. Sources L, M and N lack the violoncello part: whereas L contains the violone part in the part entitled 'Violoncello.' (an additional part, listed in the copy's title as 'Contre Basso', is missing), M and N contain the violone part on staves labelled, respectively, 'Basso et Violoncello' and 'Basso et Violone'. In addition, in these three copies the second movement is missing in the Violino Primo part; in L, after the Dacapo marking in the first movement, the indication 'Affettuoso solo' is given in the (tacet) Violino Primo part. The title page of copy P, from the posthumous papers of Johann Nikolaus Forkel, contains the added comment, 'Clavierstim̃e von Forkel's Hand' (Keyboard part in Forkel's hand). The set of parts SSt lacks a separate part for the Cembalo concertato, since the score S^P was used in performance; there are three copies of the Violino in ripieno part. The set of parts T, once again, lacks the violone part.

On the basis of the sources the evolution of the Concerto BWV 1050 may be reconstructed as follows.[17] C$_1$ embodies an earlier version of the Concerto; neither the auto-

---

graph score (X) of this version, nor the set of parts (Y) that presumably corresponded to it, is extant. C_1, probably a direct copy either of X or of Y, is the only source of the early version; no further copies of this version are known. Source A, which was completed in fair copy in 1721, and source B are close in date to one another.[18] The instrumental parts B contain marks that correspond to page-breaks in A. B is accordingly to be dated shortly before the writing out of A; evidently, A was scored on the basis of B. Variant readings in A, which principally occur in the violone and harpsichord parts, show yet further refinement of the continuo group and a more consistent virtuoso elaboration of the harpsichord writing than B; only some of these variants were also later added to B. Even while planning the layout of the score A, however, Bach started from the shape of the work in its early version, with the cadenza of only 18 bars in the first movement.[19] The implication is that he decided on the revision (initially, the recomposition of the harpsichord cadenza) only after he had already mapped out the score prior to writing out the first movement. This explains why the autograph set of parts, B, exists at all. When Bach made the decision to re-work the Concerto, it had already been arranged that he would make a gift of the score. If he wanted to keep the new version of the work at his disposal for performances of his own, preparing a set of parts was the most sensible thing to do. This set, B, was therefore copied, more or

liefert, die autographe Partitur (X) dieser Fassung wie auch das vermutlich dazugehörige Stimmenmaterial (Y) sind nicht erhalten. C_1 ist als wahrscheinlich direkte Abschrift von X bzw. Y einziger Überlieferungsträger der Frühfassung, weitere Abschriften davon sind nicht bekannt. Quelle A, deren Reinschrift 1721 abgeschlossen wurde, und B sind zeitlich eng benachbart[18]. Die Stimmen von B weisen Merkzeichen auf, die einem Seitenbeginn in A jeweils entsprechen. Somit ist B zeitlich kurz vor der Niederschrift von A anzusetzen, wobei A offensichtlich aus B spartiert wurde. Lesartenvarianten von A, die sich vor allem im Violone und Cembalo finden, lassen gegenüber B eine noch weitergehende Differenzierung der Continuogruppe und konsequentere virtuose Durchformulierung des Cembaloparts erkennen; diese Lesarten wurden nur zum Teil in B nachgetragen. Noch bei der Konzeption der Partituranlage von A ging jedoch Bach von der Werkgestalt der Frühfassung mit der nur 18 Takte langen Kadenz im ersten Satz aus[19], woraus zu schließen ist, daß er sich erst zur Umarbeitung, in erster Linie zur Neukomposition der Cembalokadenz, entschloß, als er die Partitur zur Niederschrift des ersten Satzes bereits disponiert hatte. Daraus erklärt sich überhaupt die Existenz des autographen Stimmensatzes B: Indem Bach den Plan faßte, das Konzert zu überarbeiten, stand ja bereits fest, daß er die Partitur weggeben würde. Wollte er es sich in seiner neuen Gestalt für eigene

---

[18] This is shown by a distinctive handwritten feature peculiar to both sources: cf. Georg von Dadelsen, *Beiträge zur Chronologie der Werke Johann Sebastian Bachs (Tübinger Bach-Studien*, Vol. 4/5), Trossingen 1985, p. 84.

[19] cf. Christoph Wolff, 'Die Rastrierungen in den Originalhandschriften Joh. Seb. Bachs und ihre Bedeutung für die diplomatische Quellenkritik', in *Festschrift für Friedrich Smend zum 70. Geburtstag*, Berlin 1963, pp. 80–92, especially pp. 82–84

[18] Dies ergibt sich aufgrund eines besonderen Schriftmerkmals, das beiden Quellen eigen ist, vgl. Georg von Dadelsen, *Beiträge zur Chronologie der Werke Johann Sebastian Bachs (Tübinger Bach-Studien*, Heft 4/5), Trossingen 1985, S. 84.

[19] vgl. Christoph Wolff, *Die Rastrierungen in den Originalhandschriften Joh. Seb. Bachs und ihre Bedeutung für die diplomatische Quellenkritik*, in: *Festschrift für Friedrich Smend zum 70. Geburtstag*, Berlin 1963, S. 80 – 92, insbesondere S. 82 – 84

less, from the existing earlier version (X or Y), but in the process the Concerto also took on its new form: the large number of corrections, particularly in the harpsichord part (including a mass of them in the cadenza), testifies to the compositional work that occured in B. The newly revised Concerto was then transcribed from B into the dedicatory score, though some further changes to the notated text took place at this stage as well.

On the basis of variant readings in A and B, each of the other copies may firmly be linked to one of these two sources: C_2, D, E, H, K, O, P and S derive from source B (B copies), while F, G, I, Q, R and T derive from source A (A copies). Specifically, the pattern of interrelationships is as follows. Copy C_2 is closely related to B, though an intermediate source cannot be ruled out.[20] The close connection between the two is clearly evidenced by C. (Cembalo) r.h., movement I, bar 40 and by movement III, bars 211-212 (cf. *Einzelanmerkungen*). The fact that C_2 comprises only the violoncello and harpsichord parts makes it likely that these parts were added to the C_1 set so that the Concerto could also be performed in a form corresponding to the revised version.[21] The derivation of E from D is readily apparent. In both of these copies the violone part is missing, and E also contains only the first two movements. In addition, the harpsichord part in D lacks three bars (I/89-91); in the Vc. part these bars have been notated and then deleted again. E carries over this error, and adds two new ones in the first movement: a bar is missing in the Vla. part at bars 26/27 and at bar 43.

Aufführungen zur Verfügung halten, war die Anfertigung eines Stimmensatzes am zweckmäßigsten. Dieser, B, wurde nun im wesentlichen aus der vorliegenden Frühfassung (X bzw. Y) kopiert, in diesem Arbeitsgang erhielt das Konzert gleichzeitig seine neue Gestalt – zahlreiche Korrekturen vor allem in der Cembalostimme, gehäuft in der Kadenz, zeugen vom Kompositionsvorgang in B. Sodann erfolgte die Übertragung des nunmehr umgearbeiteten Konzerts aus B in die Widmungspartitur, nicht ohne weitere Änderungen des Notentextes.

Anhand der Lesartenvarianten in A und B können die folgenden Abschriften diesen beiden Quellen eindeutig zugeordnet werden: C_2, D, E, H, K, O, P und S gehen auf Quelle B zurück (B-Abschriften), F, G, I, Q, R und T auf Quelle A (A-Abschriften). Im einzelnen lassen sich die Abhängigkeitsverhältnisse folgendermaßen feststellen: C_2 ist mit B eng verwandt, eine Zwischenquelle ist jedoch nicht auszuschließen[20]. Das nahe Abhängigkeitsverhältnis dokumentiert sich deutlich im C.r.H. Satz I, T. 40, und Satz III, T. 211–212 (vgl. Einzelanmerkungen). Die Tatsache, daß C_2 nur die Stimmen Violoncello und Cembalo umfaßt, macht wahrscheinlich, daß deren Hinzufügung zum Stimmenbestand von C_1 vorgenommen wurde, um das Konzert auch in einer der umgearbeiteten Fassung entsprechenden Gestalt aufführen zu können[21]. Die Abhängigkeit von E gegenüber D liegt klar zutage: In diesen beiden Abschriften fehlt der Violonepart, E bringt darüber hinaus nur die ersten beiden Sätze. Ferner fehlen in der Cembalostimme von D drei Takte (I/89–91), im Vc. wurden die bereits notierten Takte wieder durchgestrichen. Diesen Fehler über-

---

[20] The possibility of an intermediate source is referred to by Alfred Dürr, op. cit., p. 65, fn. 8.

[21] This may have been at the prompting of Carl Philipp Emanuel Bach: cf. Alfred Dürr, op. cit., p. 69.

[20] Einen Hinweis auf eine Zwischenquelle gibt Alfred Dürr, a.a.O., S. 65, Anm. 8.

[21] Vielleicht wurde dies durch Carl Philipp Emanuel Bach veranlaßt, vgl. Alfred Dürr, a.a.O., S. 69.

The fact that D's direct precursor source was B is shown by III/213 (cf. *Einzelanmerkungen*). Copies H, K, O, P and S all share several readings that deviate from B, and would thus appear to constitute a nexus of copies originating from B via a single intermediate source. (For examples, cf. *Einzelanmerkungen* on I/40, I/218 and II/39.) H and S leave the harpsichord continuo unfigured and are hence ruled out as precursor sources of the other copies. Their joint derivation from K is conclusively shown by I/172 (cf. *Einzelanmerkungen*). Variant readings found only in S demonstrate beyond doubt the order of derivation K → H → S (cf. *Einzelanmerkungen* on I/23, I/54 and I/226-227). O is ruled out as a precursor source of P or K (cf. *Einzelanmerkungen* on I/1, I/133, I/175, I/226-227, I/227 and III/219-220), and P, conversely, cannot have served as the basis for O or K, since there are a relatively large number of inaccuracies and errors peculiar to this copy (e.g. Vc., I/60, 6th note, c sharp instead of B; Vla., I/125, 4th note, f ′ sharp instead of g′; Vl., I/151, 2nd note, d′ instead of e′; id., III/63, 2nd note, a′ instead of b′; id., III/192, c′ sharp instead of a). The passage I/172 makes it fairly unlikely that K can have been the basis for O and P. The obvious explanation for the connection between these sources is an intermediate source from which K, O and P were copied independently of one another.[22] On the other hand, we cannot rule out the possibility that P, at least, may have been a copy of K, since there are a number of points of congruence between these two copies.

nimmt E und fügt in Satz I zwei weitere hinzu: In der Vla. fehlen je ein Takt bei T. 26/27 und 43. Daß D Quelle B direkt zur Vorlage hatte, ergibt sich aus III/213 (vgl. Einzelanmerkungen). H, K, O, P und S lassen aufgrund mehrerer gemeinsamer, von B abweichender Lesarten erkennen, daß sie einen Abschriftenkomplex darstellen, der über eine einzige Quelle auf B zurückgeht (als Beispiele vgl. Einzelanmerkungen zu I/40, I/218 und II/39). H und S lassen das Cembalo-Continuo unbeziffert und scheiden somit als Vorlagen für die anderen Abschriften aus. Ihre gemeinsame Abhängigkeit von K ergibt sich aus I/172 zwingend (vgl. Einzelanmerkungen). Abweichende Lesarten, die sich nur in S finden, klären das Abhängigkeitsverhältnis K → H → S endgültig (vgl. Einzelanmerkungen zu I/23, I/54 und I/226 – 227). O scheidet als Vorlage für P oder K aus (vgl. Einzelanmerkungen zu I/1, I/133, I/175, I/226 – 227, I/227 und III/219 – 220), wie auch P nicht als Vorlage für O oder K gedient haben kann, da P verhältnismäßig viele Ungenauigkeiten und Fehler aufweist, die sich nur in dieser Abschrift finden (z. B. Vc. I/60 6.N. cis statt H, Vla. I/125 4.N. fis′ statt g′, Vl. I/151 2.N. d′ statt e′, III/63 2.N. a′ statt h′ und III/192 N. cis′ statt a). Aus der Stelle I/172 ergibt sich mit einiger Wahrscheinlichkeit, daß auch K nicht als Vorlage für O und P in Frage kommt, somit ist als naheliegende Erklärung für den Zusammenhang eine Zwischenquelle denkbar, von der K, O und P unabhängig voneinander abgeschrieben worden sind[22]. Allerdings läßt es sich nicht mit Sicherheit ausschließen, daß zumindest P eine Abschrift von K sein

---

[22] A distinctive feature of the layout of the score in O (the Vc. and Vne. parts are placed beneath the staves of the harpsichord, although the Vne. part was initially the one to be figured) suggests that the precursor source of this copy would have been a set of parts: i.e. that the intermediate source in question was a copy in the form of instrumental parts.

[22] Aus einer Besonderheit der Partituranordnung in O (die Stimmen Vc. und Vne. sind unter den Systemen des Cembalos notiert, beziffert wurde jedoch anfänglich die Stimme des Vne.) ist als Vorlage für diese Abschrift ein Stimmensatz anzunehmen, d. h. die Zwischenquelle wäre in diesem Fall vermutlich eine Abschrift in Stimmen.

Among the A copies the pattern of inter-relationships is more easily established. Copy R, the copy most closely related to A, contains a deviant reading in the Vla., I/26 (1st note, e′ instead of g′) which is retained in F, G, I and Q. Since R follows A in other passages in which all these copies contain further deviations, it must be inferred that F, G, I and Q together derive from R. Of these, G can be identified as a copy of R. To the error from R, G adds two further ones, which are in turn present in the other copies F, I and Q: Vl. pr., I/83, last note, c″ sharp instead of e″; C.r.h., I/179, 14th note, d″ instead of e″ (for I/179, cf. *Einzelanmerkungen*). The next copy in the sequence is F, which in turn carries over the errors from G and also contains two new ones: Vla., I/138, last note, d′ instead of e′ (this error was originally also in G, but was corrected there); and Vla., I/145, notes 2 and 3, notated an octave too high, in unison with Vl. These errors also occur in I, along with two further ones: Vla., I/139, 4th note, d′ instead of c′ sharp (the addendum '*cis*' [C sharp] was presumably made later); and Vl., I/143, 5th note, f′ sharp instead of g′. The fact that there is no harpsichord part in I suggests that I was not only copied from F but was the set of parts belonging to the score F, from which the harpsichord part could be played in performance. (F and I were originally in the possession of the Berlin Singakademie. A performance of the Concerto under Zelter is documented: cf. fn. 7 above.) Finally, Q – like F – can be seen to be a copy of G: the errors in G have been carried over, and further discrepancies are also present (cf. *Einzelanmerkungen* on I/177, I/179 and III/79). The direct derivation of Q from G is shown, above all, by the passages I/11 and I/112-113 (cf. *Einzelanmerkungen*). T, on the other hand, stays faithful to A in the case of all these passages. F, G, I,

könnte, da zwischen diesen beiden Abschriften doch eine Reihe von Übereinstimmungen feststellbar sind.

Dagegen bestehen innerhalb der A-Abschriften übersichtlichere Abhängigkeitsverhältnisse: R als die zu A am nächsten stehende Abschrift bringt in Vla. I/26 eine Abweichung (1.N. e′ statt g′), die von F, G, I und Q übernommen wird. Da R an anderen Stellen, an denen alle diese Abschriften weitere Abweichungen aufweisen, Quelle A folgt, muß angenommen werden, daß F, G, I und Q gemeinsam auf R zurückgehen. Als Abschrift von R läßt sich nun G identifizieren. G fügt dem Fehler aus R zwei weitere hinzu, die sich wiederum in den übrigen Abschriften F, I und Q finden: Vl.pr. I/83 letzte N. cis″ statt e″ und C.r.H. I/179 14.N. d″ statt e″ (vgl. zu I/179 Einzelanmerkungen). Die nächstfolgende Abschrift ist F, die ihrerseits die Fehler aus G übernimmt und wieder zwei neue aufweist: Vla. I/138 letzte N. d′ statt e′ (dieser Fehler war ursprünglich auch in G, wurde dort aber korrigiert) und Vla. I/145 2.–3.N. eine Oktave zu hoch, *unisono* mit Vl. notiert. Diese Fehler finden sich auch in I, und darüber hinaus zwei weitere: Vla. I/139 4.N. d′ statt cis′ (der darüberstehende Zusatz *cis* wurde vermutlich nachgetragen) und Vl. I/143 5.N. fis′ statt g′. Die Tatsache, daß in I eine Cembalostimme fehlt, läßt folgenden Schluß zu: I wurde nicht nur aus F kopiert, sondern gehörte auch als Stimmensatz zur Partitur F, aus der im Falle einer Aufführung der Cembalopart gespielt werden konnte (F und I stammen aus den Beständen der Berliner Singakademie, eine Aufführung des Konzerts durch Zelter ist belegt; vgl. oben Anm. 7). Q gibt sich schließlich – neben F – als Abschrift von G zu erkennen, die Fehler aus G wurden übernommen, dazu finden sich weitere Abweichungen (vgl. Einzelanmerkungen zu I/177, I/179 und III/79). Die direkte Abhängigkeit von Q zu G wird nicht zuletzt mit den Stel-

Q and R are therefore ruled out as precursor sources of T. Conversely, T contains deviations from these copies as well as from A, so that it cannot be reckoned an intermediate source for these copies either, in particular a percursor source of R: thus, C.l.h., III/187, 3rd note, d instead of e; also C.r.h., III/81 and C.l.h., III/219-220 (cf. *Einzelanmerkungen*). Since T, in two passages, is the only one of all these copies based on A to remain true to the notated text of A (Vla., I/ 11, 9th note, a'; C.l.h., I/188; cf. *Einzelanmerkungen*), T can be assumed to be a direct copy of A. On the other hand, it is true that in view of occasional correspondences with variant readings in copies L, M and N (cf. for example *Einzelanmerkungen* on I/22, I/65, I/120, III/162-163 and III/197), the existence of a common intermediate source cannot be ruled out.

Among the surviving copies, L, M and N occupy a special position. These three sources furnish a text that is based on a compilation of versions A and B. This is particularly clear from III/177-187 (cf. *Einzelanmerkunen* on this passage). Basically these copies follow source A. There are no correspondences with the A copies as regards the passages discussed above, apart from those with T referred to; this points to A itself as the precursor source. Only in Vla., I/139 is there an identical error with that in I, probably fortuitous. The presence, however, of numerous additional correspondences with variant readings in version B is evidence that the text is the result of a process of compilation. The order of succession of these three copies may be taken to be L → M → N (e.g. N, C.l.h., I/218 has 2nd and 4th notes f sharp instead of d; M and N, C.r.h., II/35, 4th beat have the notes b' b' d" in the rhythm ♫). The passage III/177-187, together with other points of detail (e.g. in L, M and N, II/7 and

len I/11 und I/112 - 113 bewiesen (vgl. Einzelanmerkungen). Hingegen folgt T an allen diesen Stellen getreu der jeweiligen Lesart von A. Damit scheiden F, G, I, Q und R als Vorlagen für T aus. Umgekehrt weist T Abweichungen gegenüber diesen Abschriften wie auch gegenüber A auf, so daß T auch nicht als Zwischenquelle, in diesem Fall als Vorlage für R, in Frage kommt: etwa im C.l.H. III/187 3.N. d statt e, ferner C.r.H. III/81 und C.l.H. III/219 - 220 (vgl. Einzelanmerkungen). Da T an zwei Stellen als einzige unter sämtlichen auf A zurückgehenden Abschriften den Notentext von A getreu übernimmt (Vla. I/11 9.N. a', C.l.H. I/188; vgl. Einzelanmerkungen), wird T als direkte Abschrift von A anzusehen sein. Freilich kann aufgrund gelegentlicher Koinzidenzen mit abweichenden Lesarten der Abschriften L, M und N (vgl. etwa die Einzelanmerkungen zu I/22, I/65, I/120, III/162 - 163 und III/197) die Existenz einer gemeinsamen Zwischenquelle nicht ausgeschlossen werden.

Unter den erhaltenen Abschriften nehmen L, M und N eine Sonderstellung ein. Daß diese drei Quellen einen Text bieten, der auf einer Kompilation der Fassungen von A und B beruht, wird besonders in III/177 - 187 deutlich (vgl. die Einzelanmerkung hierzu). Im wesentlichen folgen diese Abschriften zwar Quelle A (Übereinstimmungen mit den A-Abschriften an den oben erwähnten Stellen ergeben sich – außer den genannten mit T – nicht, weshalb A selbst als Vorlage anzunehmen ist; lediglich in Vla. I/139 findet sich wohl per Zufall derselbe Fehler wie in I), doch auch zahlreiche weitere Übereinstimmungen mit Lesartenvarianten der Fassung B zeugen von einer kompilierten Textfassung. Als Reihenfolge der drei Abschriften darf L → M → N angesehen werden (notiert z. B. im C.l.H. I/218 2. und 4.N. fis statt d, M und N bringen im C.r.H. II/35 Zz. 4 die Noten h' h' d" als ♫). Die Stelle

II/15, C.l.h. the stave is empty on beats 3-4), makes it likely that these copies have a copy of the parts as their intermediate source. It is not certain where the compilation of L, M and N from the A version and one or other of the B sources (most probably B itself, or possibly K) took place. It would not be at all easy to trace the process involved, given the current state of the sources.

The interconnections between the sources we have described may be depicted schematically as follows:

III/177–187 wie auch weitere Besonderheiten (z. B. in II/7 und II/15 bleibt in L, M und N im C.l.H. jeweils auf Zz. 3–4 das System leer) machen es wahrscheinlich, daß diese Abschriften auf eine Stimmenabschrift als Zwischenquelle zurückgehen. Wo die Kompilation der Lesart von A mit einer Quelle der B-Fassung (hierfür könnten am ehesten B und vielleicht noch K in Frage kommen), wie sie in L, M und N zutage tritt, stattfand, ist ungewiß. Eine Erklärung dieses Vorgangs ließe sich aus der bestehenden Quellenlage nur schwer herleiten.

Die soweit beschriebenen Zusammenhänge der Quellenüberlieferung lassen sich folgendermaßen darstellen:

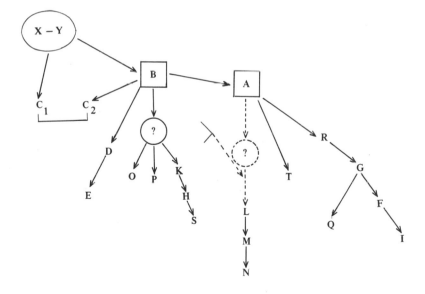

The present edition of the Fifth Brandenburg Concerto BWV 1050 is based primarily on the text of source A, the final version of the work as revised by Bach. Source B, the autograph set of parts, which was prob-

Die vorliegende Ausgabe des fünften *Brandenburgischen Konzerts* BWV 1050 bietet grundsätzlich den Text von Quelle A als der von Bach letzten überarbeiteten Werkfassung. Quelle B, der autographe Stimmen-

ably used by Bach for purposes of performance, has a general claim to very nearly equivalent status in textual terms. Only in the particular cases of variant readings that we have mentioned has A been given preference as the final version; warranted exceptions are specified in the *Einzelanmerkungen*. Sources C_2 – T are later copies, all ultimately derived either from A or B, and their status as texts is slight; they have been invoked only to help clarify passages in which there are important differences between A and B. The copy C_1, finally, while undoubtedly of great importance in the genesis of the Concerto as the source from which the early version BWV 1050a survives, has served solely as a secondary textual source in the editing of the notated text of BWV 1050.

Editing principles

Slurs, accidentals and performance markings (such as *tr* and dynamic instructions) not given in A and B have been added by the present editors on the basis of parallel passages and with reference to the other sources. These additions are indicated by square brackets; the slurs by broken lines. Warning accidentals, likewise in square brackets, have as a rule been included only when an altered note appears unaltered in another octave within a given bar and part. Slurring in A and B is often problematical; the principal passages in which articulation markings in the autograph sources A and B have been difficult to resolve are the following:

Movement I
Bars 71-80

Fl./Vl.pr. Slurring of the semiquaver figures 𝄞 is unclear in A, but most frequently extends over three notes: 𝄞 .

---

satz, der Bach vermutlich als Aufführungsmaterial diente, kann zur Textkritik weitestgehend prinzipielle Gleichwertigkeit beanspruchen, lediglich im Falle der angesprochenen einzelnen Lesartenunterschiede wurde A als der Fassung letzter Hand der Vorzug gegeben; begründete Ausnahmen werden in den Einzelanmerkungen dargelegt. Die Quellen C_2 bis T sind als spätere Abschriften, die ohne Ausnahme auf A oder B zurückgehen, von geringerem textkritischen Wert und wurden nur zur Klärung solcher Stellen mit herangezogen, an denen sich wesentliche Abweichungen zwischen A und B zeigten. Schließlich diente auch die Abschrift C_1, die freilich als Überlieferungsträger der Frühfassung BWV 1050a von größter Bedeutung für die Entstehungsgeschichte des Konzertes ist, der Redaktion des Notentextes von BWV 1050 lediglich als sekundäre Quelle zur Textkritik.

Editionsprinzipien

Bögen, Vorzeichen und Spielanweisungen wie *tr* und dynamische Vorschriften, die in A und B nicht stehen, wurden von den Herausgebern nach Parallelstellen und nach Vergleich mit den übrigen Quellen hinzugefügt. Zur Kennzeichnung wurden diese Ergänzungen in eckige Klammern gesetzt bzw. die hinzugefügten Bögen gestrichelt. Warnungsakzidentien, ebenfalls in eckigen Klammern, stehen in der Regel nur dann, wenn in gleichem Takt und gleicher Stimme ein alterierter Ton in anderer Oktavlage nicht alteriert erscheint. Die Bogensetzung ist in A und B oft fraglich, im wesentlichen erwiesen sich an folgenden Stellen die autographen Artikulationsangaben in A und B als problematisch zu klären:

Satz I
Takt 71–80

Fl./Vl.pr. Sechzehntelfiguren 𝄞 unklare Bogensetzung in A, am häufigsten jedoch über drei Noten: 𝄞 ; B hat

Slurs in B are likewise predominantly over three notes; there are fewer unclear passages and exceptions than in A. Of the copies, only L, M, N and R give clear and consistent complete slurs [♫]; all the others give slurs over three notes. Exceptions: C₁, Vl.pr. part has complete slurs (apart from bar 76), but there is a quite different slurring in the Fl. part: [♫] ; T, Vl.pr., bar 72 has divided slurs [♫] , while bar 73, 1st group of semiquavers has a slur of indeterminate scope, but otherwise there is no slurring at all. In most cases, therefore, the slurring [♫] is used, and the present edition adheres to this pattern.

Bars 71-92

Vl./Vla. Slurring of the accompaniment figures [♫] is unclear in A and B, owing to hasty notation. Only in a few instances are complete slurs [♫] unambiguously placed against four notes; more often slurs occur against only three notes [♫] , though most of these are where Bach notates the slurs below the notes. A characteristic feature of Bach's handwriting style is involved here, namely that the slurs are begun too far to the right: [♫] . Slurs above the notes, which occur mostly in the Vla. part, are written more clearly by Bach [♫] , and more unambigously in B than in A. This makes it reasonably certain that the scope of these slurs is four notes in all cases.[23] Almost all the copies give corresponding complete four-note slurs, except for C₁ and P, which contain very hasty and ambiguous slurrings (P has slurs only in bars 71-73, covering both four and three

ebenfalls überwiegend Bögen über drei Noten und weist gegenüber A weniger unklare Stellen und Ausnahmen auf; von den Abschriften bringen lediglich L, M, N und R eindeutig und konsequent Ganzbögen [♫] , alle anderen jedoch Bögen über drei Noten; Ausnahmen sind C₁: die Stimme der Vl.pr. hat Ganzbögen (außer in T. 76), cine völlig abweichende Bogensetzung dagegen in der Fl.: [♫] , und T: Vl.pr. T. 72 hat Teilbögen [♫] , in T. 73 auf der 1. Sechzehntelgruppe noch einen Bogen unklarer Geltung, ansonsten jedoch keine Bogensetzung. In den meisten Fällen findet sich somit die Bogensetzung [♫] , diesem Befund folgt auch die vorliegende Ausgabe.

Takt 71-92

Vl./Vla. Begleitfiguren [♫] unklare Bogensetzung in A und B aufgrund flüchtiger Notation. Nur in wenigen Fällen sind Ganzbögen eindeutig über vier Noten [♫] gesetzt, des öfteren stehen Bögen über nur drei Noten [♫] , dies jedoch mehrheitlich dann, wenn Bach Unterbögen notiert. Es handelt sich hierbei um eine charakteristische Schreibgewohnheit, in solchen Fällen die Bögen zu weit rechts anzusetzen: [♫] . Bei Oberbögen, die sich zumal in der Vla. mehrheitlich finden, notiert Bach mit größerer Deutlichkeit [♫] , in Quelle B noch eindeutiger als in A. Von hier aus läßt sich der grundsätzliche Geltungsbereich der Bögen über jeweils vier Noten mit einiger Sicherheit erschließen[23]. Auch die Abschriften notieren dementsprechend fast ausnahmslos Ganzbögen über vier Noten, lediglich C₁ und P weisen eine sehr flüchtige und

---

[23] On the performance in Bach of such [♫] same-pitch figures as a measured bowed vibrato, in imitation of the organ tremulant, cf. Greta Moens-Haenen, 'Zur Frage der Wellenlinien in der Musik Johann Sebastian Bachs', in *Archiv für Musikwissenschaft* 1984, pp. 176–186, especially p. 179, fn. 17 and p. 186.

[23] Zur Ausführung derartig notierter Figuren [♫] auf gleicher Tonhöhe als mensuriertes Bogenvibrato (Imitation des Orgeltremulanten) bei Bach vgl. Greta Moens-Haenen, *Zur Frage der Wellenlinien in der Musik Johann Sebastian Bachs*, in: *Archiv für Musikwissenschaft* 1984, S. 176–186, insbesondere S. 179, Anm. 17, und S. 186.

XXIV

notes), while R, bar 71 has ♪♪♪♪ , subsequently abbreviating the figure to the notation ♪ .

Movement II

Fl./Vl.pr./C. The semiquaver melodic figures, introduced in C.r.h., bar 6 as a falling figure ♪♪♪♪ . later also occurring in inversion ♪♪♪♪ (bar 14) or as ♪♪♪♪ (bar 30), are supplied both with divided slurs and with complete slurs in A and B. The use of divided and complete slurs is variable in both sources, and agreement between them is only intermittent; it is difficult, and debatable, to infer any consistent plan of slurring on the basis either of A or of B. Although there can be no doubt that the divided slurs apply to two-note pairs ♪♪♪♪ , it is questionable in many cases whether the scope of the complete slurs is three notes or four: ♪♪♪♪ / ♪♪♪♪ [24].

The slurrings are distributed as follows in the relevant passages. There are divided slurs in A, Fl., bars 24, 28, 40, 43, 44; Vl. pr., bars 29, 30, 31, 40, 41, 43, 44; C.r.h., bars 6, 7, 26, 27, 29; and in B, Fl., bars 24, 28, 29, 30 (2nd beat), 43, 44; Vl. pr., bars 25, 28, 29, 40, 41, 43, 44. Complete slurs covering four notes can be identified in A, Fl., bar 29; Vl. pr., bars 25, 28 (2nd beat); C.r.h., bars 9, 16, 34, 36, 40, 41, 42 (beats 2-4); C.l.h., bar

unklare Bogensetzung auf (P bringt Bögen nur in T. 71–73 sowohl über vier wie auch über drei Noten), und R notiert in T. 71 ♪♪♪♪, kürzt aber im weiteren die Figur mit der Schreibweise ♪ ab.

Satz II

Fl./Vl.pr./C. melodische Sechzehntelfiguren, im C.r.H. T. 6 eingeführt als fallende Figur ♪♪♪♪, später auch in der Umkehrung vorkommend ♪♪♪♪ (T. 14) oder auch als ♪♪♪♪ (T. 30), werden in A und B sowohl mit Teilbögen als auch mit Ganzbögen versehen. Die Setzung von Teil- bzw. Ganzbögen wechselt in beiden Quellen in der Weise, daß sich nur partiell Übereinstimmungen ergeben, eine beabsichtigte Konsequenz der Bogensetzung ist aus A wie aus B nur schwer zu folgern und strittig. Während die Gültigkeit der Teilbögen als ♪♪♪♪ über jeweils zwei Noten unproblematisch ist, bleibt in vielen Fällen der Geltungsbereich der Ganzbögen über drei oder vier Noten ♪♪♪♪ / ♪♪♪♪ fraglich[24].

An den betreffenden Stellen verteilt sich die Bogensetzung wie folgt: Teilbögen stehen in A, Fl. T. 24, 28, 40, 43, 44, Vl.pr.T. 29, 30, 31, 40, 41, 43, 44, C.r.H. T. 6, 7, 26, 27, 29, und in B, Fl.T. 24, 28, 29, 30/Zz. 2, 43, 44, Vl.pr.T. 25, 28, 29, 40, 41, 43, 44; Ganzbögen über vier Noten sind in A, Fl.T. 29, Vl.pr.T. 25, 28/Zz. 2, C.r.H. T. 9, 16, 34, 36, 40, 41, 42/Zz. 2–4, C.l.H. T. 37, und in B, Fl.T. 40, Vl.pr.T. 31/Zz. 1, C.r.H. T. 7, 8,

---

[24] This problem is discussed in detail by Georg von Dadelsen, 'Die Crux der Nebensache. Editorische und praktische Bemerkungen zu Bachs Artikulation', in *Bach-Jahrbuch* 1978, pp. 99–104 (reprinted in id., *Über Bach und anderes. Aufsätze und Vorträge 1957–1982,* ed. A. Feil and Th. Kohlhase, Laaber 1983, pp. 139–158) and by Josef Rainerius Fuchs, *Studien zu Artikulationsangaben in Orgel- und Clavierwerken von Joh. Seb. Bach (Tübinger Beiträge zur Musikwissenschaft,* Vol. 10), Neuhausen-Stuttgart, 1985, pp. 154–156. These two authors reach different conclusions on the question of the interpretation of complete slurs.

[24] Dieses Problem wird ausführlich erörtert bei Georg von Dadelsen, *Die Crux der Nebensache. Editorische und praktische Bemerkungen zu Bachs Artikulation,* in: *Bach-Jahrbuch* 1978, S. 99–104 (wiederabgedruckt in: ders., *Über Bach und anderes. Aufsätze und Vorträge 1957 bis 1982,* hg. von A. Feil und Th. Kohlhase, Laaber 1983, S. 139–158), und bei Josef Rainerius Fuchs, *Studien zu Artikulationsangaben in Orgel- und Clavierwerken von Joh. Seb. Bach (Tübinger Beiträge zur Musikwissenschaft,* Bd. 10), Neuhausen-Stuttgart 1985, S. 154 bis 156. In der Interpretation der Ganzbögen kommen beide Autoren zu unterschiedlichen Ergebnissen.

37; and in B, Fl., bar 40; Vl.pr., bar 31 (1st beat); C.r.h., bars 7, 8, 9, 34, 35; C.l.h., bar 37 (3rd beat). Complete slurs covering three notes are legible in A, Fl., bars 30 (4th beat), 31 (2nd beat), 41; C.l.h., bar 17 (3rd beat); and in B, Fl., bars 30 (4th beat), 31 (4th beat), 41; Vl. pr., bar 30; C.r.h., bars 14, 16, 26 (4th beat), 27, 29, 42 (4th beat), 44; C. l.h., bars 17, 37 (4th beat). The slurring is very imprecise in A, Fl., bars 30 (2nd beat), 31 (4th beat); C.r.h., bars 8, 14, 15, 35, 42 (1st beat), 44; C.l.h., bars 9, 42; and in B, Fl., bar 31 (2nd beat); Vl.pr., bar 31 (3rd beat); C.r.h., bars 6, 15, 26 (2nd beat), 36, 40, 41, 42 (3rd beat); C.l.h., bar 9. It does seem to the editors, however, that in the bulk of these latter cases four-note slurring is intended.

It is possible, in cases where divided slurs are given first and then, later in the same part, complete slurs are used, that the complete slurs are intended to denote divided slurs, i.e. that they are used for purposes of abbreviation and were understood by the players as such. This may be the case, especially, in A (C.r.h., bars 8–9; Fl., bars 29 and 41); in such instances in B the divided slurs are often notated by a single penstroke 𝅘𝅥𝅮𝅘𝅥𝅮𝅘𝅥𝅮, Fl., bars 24 and 30 (2nd beat); Vl. pr., bars 28–29 and 43–44). It is striking, on the other hand, that the inverted figure in the C. r.h., bars 14–16, 34–36 and 40–42, virtually never occurs with divided slurs: it is fairly certain that no notational abbreviation is involved in these passages. The editors have placed complete slurs against three notes only when this is unambiguously indicated by both A and B: viz. in the C.l.h., bar 17 and in special cases where there is a fairly large intervallic leap between the third and fourth note of the figure (C.r.h., bars 17 and 37). In addition, there would seem to be some justification, on the face of it, for seeing the slurring against three notes in bars 30–31, Fl. and Vl. pr., in source B as an alternative articulatory option. Against this, however, is the fact

9, 34, 35, C.l.H. T. 37/Zz. 3, zu erkennen; Ganzbögen über drei Noten können in A, Fl.T. 30/Zz. 1, 31/Zz. 2, 41, C.l.H. T. 17/ Zz. 3, und in B, Fl.T. 30/Zz. 4, 31/Zz. 4, 41, Vl.pr. T. 30, C.r.H. T. 14, 16, 26/Zz. 4, 27, 29, 42/Zz. 4, 44, C.l.H. T. 17, 37/Zz. 4, gelesen werden. In A, Fl. T. 30/Zz. 2, 31/Zz. 4, C.r.H. T. 8, 14, 15, 35, 42/Zz. 1, 44, C.l.H. T. 9, 42, sowie in B, Fl.T. 31/Zz. 2, Vl.pr. T. 31/Zz. 3, C.r.H. T. 6, 15, 26/Zz. 2, 36, 40, 41, 42/Zz. 3, C.l.H. T. 9, ist die Bogensetzung sehr ungenau, jedoch scheint den Herausgebern in der Mehrzahl der Fälle Bogensetzung über vier Noten gemeint zu sein.

Es ist möglich, daß dort, wo zuerst Teilbögen und im weiteren Verlauf derselben Stimme dann Ganzbögen gesetzt werden, die Ganzbögen quasi als Kürzel weiterhin Teilbögen meinen und von den Spielern in diesem Sinne verstanden wurden. Dies könnte in erster Linie in A (C.r.H. T. 8 – 9, Fl.T. 29 und 41) der Fall sein, in B finden sich in solchen Fällen die Teilbögen oft in einem Zug notiert (𝅘𝅥𝅮𝅘𝅥𝅮𝅘𝅥𝅮 Fl.T. 24 und 30/Zz. 2, Vl.pr.T. 28 – 29 und 43 – 44). Dagegen ist auffällig, daß die Umkehrungsfigur im C.r.H.T. 14 – 16, 34 – 36 und 40 – 42 grundsätzlich nie Teilbögen hat, es handelt sich an diesen Stellen mit einiger Sicherheit nicht um abgekürzte Notation. Ganzbögen werden von den Herausgebern nur dann über drei Noten gesetzt, wenn dies aus A wie aus B eindeutig hervorgeht, so im C.l.H.T. 17 und in besonderen Fällen, in denen von der 3. zur 4.N. der Figur ein größerer Intervallsprung erfolgt (C.r.H.T. 17 und 37). Mit einer gewissen Wahrscheinlichkeit scheint sich die Bogensetzung über drei Noten des weiteren in T. 30 – 31 der Fl./ Vl.pr. in erster Linie nach Quelle B als alternative Artikulationsmöglichkeit anzubieten, jedoch spricht hier dagegen, daß in B T. 30 die Fl. mit Teilbögen beginnt, die

that in B, bar 30, the Fl. begins with divided slurs, so that the subsequent complete slurs could equally well stand for divided slurs. Among the copies, only C_2 and K give a majority of the complete slurs as [musical figure] ; in the other copies this slurring is rare, whereas complete slurs covering four notes are clearly predominant and in quite a few cases complete slurs (e.g. D, H and S, Fl. and Vl.pr.).

In the editors' view, the weight of the evidence in the Bach autographs and in the copies would collectively seem to indicate that the semiquaver figure has basically two possible patterns of articulation within this movement and that when complete slurs are used their scope as a rule extends to four notes. A few passages, which have been mentioned above, are exceptions to this rule. Slurrings in this edition generally follow source A as far as the apportionment of complete and divided slurs is concerned. Only in passages in A where slurs have oviously been omitted through oversight have slurrings been taken from B.

Movement III

Slurring of the triplet figure [musical figure] in both A and B is very unclear in all instruments, owing to hasty notation. In both sources, however, the form [musical figure] is by far the most common one. Slurs of clearly different scope, especially complete slurs, are rare and are never used consistently. Only copies C_1, C_2, D, L, M, N, O and R use complete slurs [musical figure] exclusively, but the slurring in these copies is for the most part very sparse and inconsistent. In the other sources slurring over the first two notes, as in A and B, is clearly predominant.

Details of other passages in which slurrings in sources A and B differ or are unclear are

folgenden Ganzbögen somit an dieser Stelle gleichfalls für Teilbögen stehen könnten. Von den Abschriften lesen lediglich C_2 und K die Ganzbögen mehrheitlich als [musical figure], diese Bogensetzung ist in den übrigen Quellen selten, Ganzbögen über vier Noten überwiegen eindeutig, in manchen Fällen werden Ganzbögen auch konsequent zu Teilbögen aufgelöst, so z. B. von D, H und S in Fl./Vl.pr.

Der Befund sowohl der Bachschen Autographe wie auch der Abschriften scheint nach Ansicht der Herausgeber insgesamt zu ergeben, daß der Sechzehntelfigur im Verlauf des Satzes grundsätzlich zweierlei Artikulationsmöglichkeiten zukommen, und im weiteren bei Setzung von Ganzbögen deren Geltungsbereich in der Regel über vier Noten reicht. Von dieser Regel bilden freilich wohl einige wenige Stellen, wie sie oben genannt wurden, eine Ausnahme. Die Bogensetzung dieser Ausgabe folgt in der Verteilung von Ganz- und Teilbögen im allgemeinen Quelle A, lediglich an Stellen, an denen A offensichtlich aus Versehen keine Bögen setzt, wurde die Bogensetzung aus B übernommen.

Satz III

In allen Instrumenten ist die Bogensetzung der Triolengruppen [musical figure] in A und B gleichermaßen aufgrund flüchtiger Schreibweise vielfach unklar. Dennoch überwiegt in beiden Quellen die Lesart [musical figure] bei weitem. Bögen von eindeutig anderer Geltung, vor allem Ganzbögen, sind selten und werden nie mit Konsequenz gesetzt. Lediglich C_1, C_2, D, L, M, N, O und R notieren ausschließlich Ganzbögen [musical figure] , jedoch ist die Bogensetzung in diesen Abschriften meist sehr reduziert und inkonsequent. In den übrigen Quellen herrscht die Bogensetzung über die je ersten zwei Noten wie in A und B eindeutig vor.

Über die übrigen Stellen mit jeweils verschiedener oder unklarer Bogensetzung

given in the *Einzelanmerkungen*. The *Einzelanmerkungen* do not, however, list hastily written slurs in the two main sources where the scope of the slurs can be unambiguously resolved by the context and by reference to the state of the sources. Slurrings in the copies sometimes deviate considerably from the relevant original sources. For this reason they have not been referred to individually or listed in the *Einzelanmerkungen* unless A and B yield different readings between which it has not been possible to make a firm adjudication on the basis of parallel passages and the musical context. The *Einzelanmerkungen* primarily list discrepancies in the Bach autographs, such as variant readings and handwritten errors. The later copies have been consulted, and cited in the *Einzelanmerkungen*, solely for purposes of comparison with these passages. Discrepancies arising solely among these later sources have not been included.

Karin Stöckl,
Martin Steinebrunner
Translation Richard Deveson

der Quellen A und B geben die Einzelanmerkungen Auskunft. Lediglich auf die Verzeichnung flüchtig gesetzter Bögen der beiden Hauptquellen in solchen Fällen, in denen der Geltungsbereich durch den Kontext und innerhalb der Quellenlage unzweifelhaft gegeben ist, wurde in den Einzelanmerkungen verzichtet. Die Abschriften weichen in der Bogensetzung zum Teil erheblich von den jeweiligen Stammquellen ab. Aus diesem Grund wurden sie im Einzelfall nur dann herangezogen und in den Einzelanmerkungen aufgeführt, wenn schon A und B verschiedene Lesarten bieten und eine Entscheidung mit Hilfe von Parallelstellen und des musikalischen Kontexts nicht eindeutig zu fällen war. Grundsätzlich verzeichnen die Einzelanmerkungen ausschließlich Abweichungen wie Lesartenvarianten oder Schreibfehler der beiden Bachschen Autographe – die späteren Abschriften wurden lediglich zu diesen Stellen vergleichend herangezogen und in den Einzelanmerkungen aufgelistet –, jedoch nicht solche Abweichungen, die sich erst in diesen späteren Quellen finden.

Karin Stöckl,
Martin Steinebrunner

Einzelanmerkungen

Im folgenden werden die Handschriftengruppen der A- bzw. B-Abschriften (s.o., S. XVII ff.) mit den Chiffren Ⓐ bzw. Ⓑ bezeichnet.

Satz I

Takt 1 C. B Akkord Lesart (ebenso Ⓑ außer O);

L, M, N Lesart ; C₁, O Lesart ohne
Bezifferung

4 Vl. pr. A korrigiert 13. N. g zu a, zusätzlich mit Tabulaturbuchstaben *a*

Vne. B 3.-8. N. unisono mit Vc. (ebenso C₁, L, M, N, Ⓑ und an dieser Stelle auch Ⓐ; vgl. dagegen T. 138, wo Ⓐ die Fassung von A übernimmt)

6 C.l.H. B 7.N. cis Bezifferung $\frac{7}{5}$

9 Vne. B 1.N. d wie Vc. (ebenso C_1, L, M, N, Ⓑ und an dieser Stelle auch Ⓐ; vgl. Anm. zu T. 4 und für Ⓐ entsprechend T. 125); B notiert ursprünglich N. D, radiert und korrigiert diese zu N. d; S^{St} notiert N. d als 𝆔 im Vne., dies findet sich auch in H, S^P und S^{St} im Vc.

11 Vla. B Lesart (ebenso C_1 und Ⓑ). Dies ergibt in B Oktavparallelen zur Vl. pr. (in C_1 ist das noch nicht der Fall, da die Vl. pr. hier eine Oktave tiefer gesetzt ist), deshalb korrigiert A die schon eingetragene Lesart zu (diese Lesart auch in L, M, N und Ⓐ, jedoch lesen sie alle außer T die 9. N. als a). Dadurch ergeben sich nun Quintparallelen zum C.r.H., weshalb G nachträglich als Stichnoten im C.r.H. hinzufügt, um die Quintparallelen auf betonter Zz. zu umgehen. Die Herausgeber schlagen die Lesart der Parallelstelle T. 112 von B als Lösung vor. – Q notiert im C.r.H. , nimmt also die in G in Stichnoten nachgetragene Lösung als Alternativ-Lesart auf. Q erweist sich hierin als Abschrift von G.

18 Vl. pr. B notiert 7. und 8. N. e"fis" als ♫ (ebenso C_1 und Ⓑ)

C.r.H. B 12.N. e" fehlt wegen Beschädigung des Papiers am rechten Rand

19 C.r.H. B ohne 𝄽

20 Vc. B letzte N. mit Zeichen für *p*

C.r.H A 𝄽 über der 1. Sechzehntelgruppe des C.l.H.

C.l.H. B 3.N. cis ohne Bezifferung; A 5.N. e ohne Bezifferung

21 C.r.H. B notiert auf Zz. 2 nur ein Pausenzeichen 𝄽

22 Fl. A 5. und 6.N. , offenbar korrigiert A die irrtümlich notierte N. h' zu gis', ohne sie zu tilgen; L, M, N und T lesen h', alle übrigen Quellen haben gis' (vgl. auch die Parallelstellen Vl. pr. T. 24 und Fl. T. 54)

23 C.r.H. B 4. Sechzehntel cis" fehlt wegen Beschädigung des Papiers am rechten Rand; B 1. Notengruppe Lesart (ebenso C_1 und Ⓑ, wovon S auf Zz. 1 nur einstimmig notiert:)

24 Vl. pr. A Zeichen unklarer Bedeutung zwischen 6. und
7. N., vermutlich durchgestrichene Verschreibung

25 C.r.H. B notiert auf Zz. 2 nur ein Pausenzeichen

27 C.l.H. B 1. Notengruppe Lesart ♪♪♪ (ebenso C_1
und Ⓑ; vgl. dagegen auch die Parallelstelle T. 56, die in
A und B gleich lautet)

28 Vne. B ohne Zeichen für *f*

29 Vla. B notiert ursprünglich 1. N. e', korrigiert diese zu
a', ohne e' zu tilgen

C.r.H. A notiert diesen Takt mit Pausenzeichen:
♪♪ (vgl. dagegen die Parallelstelle T. 58/59, die
in A und B gleich notiert wird)

C.l.H. A 4. N. e Bezifferung ♯, dies ist jedoch überflüs-
sig

31 Vc. B notiert *p.* unter 5. N. a

C.l.H. B 4. N. e ohne Bezifferung

35 C.l.H. B Zz. 1 Lesart ♪♪♪ (ebenso C_1 und Ⓑ)

36 Vc. B korrigiert 1. N. e zu e'

C.r.H. B notiert 1. N. g" als ♪ (ebenso C_1 und Ⓑ)

38 C.l.H. B notiert 1. N. irrtümlich als e (ebenso Ⓑ außer
H, K und S; vgl. dagegen 1. N. fis in Vc. und Vne.)

40 C.r.H. B Lesart ♪♪ , die Stichnoten fis" e" d"
wurden vermutlich nachträglich hinzugefügt; C_2
bringt die Lesart von B in der Handschrift eines einzi-
gen Schreibers und erweist sich damit als eine
Abschrift, die sich eng an B als Vorlage anschließt; C_1,
H, K, O, P und S haben ♪♪ , D und E notieren ♪♪

41 Vne. B 3. und 4. N. H Ais fehlen wegen Beschädigung
des Papiers am rechten Rand

44 Vc. B ohne Zeichen für *p*

47 Fl./Vl. pr. B 5. N. a" bzw. fis" ohne Staccatopunkte

47/48 Vl./Vla. B notiert Staccatopunkte nur auf jeweils
1.–3. N. in T. 47 (ebenso K, L, M und O); H hat Staccato in
T. 47/48 in Vla. durchgehend, in Vl. bis zur 4. N. in T. 48,
dies auch in S^{St}, wogegen S^P Staccatopunkte auch in Vl.
durchgehend setzt; C_1, D, E, N, P und Q setzen keine
Staccatopunkte; R und T haben Staccatopunkte im

ganzen T. 47 für Vl. und Vla., desgleichen auch I, jedoch nur in Vl., F und G haben Staccatopunkte in Vl. T. 47 auf 1.–5. N. wie in A, notieren für Vla. dagegen kein Staccato

48 Fl./Vl. pr. B 3. N. g″ bzw. e″ ohne Staccatopunkte

C.l.H. B ohne Pausenzeichen

49 C.l.H. A mit Pausenzeichen, B ohne Pausenzeichen

50 Vne. B notiert ganzen Takt Pause (ebenso L, M, N und Ⓑ)

52 C.r.H. B Beginn von Zz. 2 Lesart (ebenso C_1 und Ⓑ)

53 C.l.H. A 𝄽 fehlt

54 C.r.H. B Beginn von Zz. 2 Lesart (ebenso C_1 und Ⓑ, wovon S auf Zz. 2 nur einstimmig notiert:)

55 C.r.H. B notiert nach dem Akkord zwei Pausenzeichen übereinander: 𝄾

56 Vla. A 𝄽 fehlt

Vc. B 4. N. G ursprünglich als ♩ notiert, korrigiert zu ♪

58 C.r.H. B setzt 𝄾 nach letzter N. d″

60 Vne. B 5.–8. N. d H G A fehlen wegen Beschädigung des Papiers am rechten Rand

61 Vl. pr. B notiert 1. N. d′ als ♩ (ebenso C_1 und Ⓑ)

62 Vl. pr. A 3. und 4. N. h′ a′ ohne Bogen (vgl. dagegen die analogen Stellen Fl. T. 65 und 126 sowie Vl. pr. T. 130)

C.l.H. B 8. N. cis′ Bezifferung 6; vgl. dagegen die analogen Stellen T. 66, 127 und 130

63 Vl. pr. A Achtelgruppe ohne Bogen (vgl. dagegen die analogen Stellen Fl. T. 66 und 127 sowie Vl. pr. T. 131)

64 Fl. B 5. N. gis″ mit *tr* (ebenso C_1, L, M, N, Ⓑ außer E und O, I und, mit nachgetragenem *tr*, F; vgl. dagegen die Parallelstelle Vl. pr. T. 128, wo nur C_1, D, E, F und I–F mit nachgetragenem *tr*–*tr* notieren)

65 C.r.H. Vorschlag h′ zur 1. N. cis″ fehlt in C_1 und Ⓑ

sowie in L, M, N und T, B notiert

67 Fl. Bogen der Achtelgruppe von den Herausgebern ergänzt nach den analogen Stellen Vl. pr. T. 63 und 131 und Fl. T. 128 sowie nach H, P und S

68 Vl. pr. B 6. N. vermutlich ursprünglich e″, radiert und zu fis″ korrigiert

69 Fl. A, B Zz. 1 Bogen fraglich; eindeutige Bogensetzung ⌢♪♪♪♪♪♪ in C₁, F, G, H, I, K, L, R und S; P setzt den Bogen über 1.–8. N., in D, E, M, N, O, Q und T fehlt der Bogen

Vl. pr. B, O, P Zz. 2 Bogen fraglich; eindeutige Bogensetzung in A, C₁, F, G, H, I, K, Q, R und S; in D, E, L, M, N und T fehlt der Bogen

70 Fl. B *piano.* erst unter der 1. Notengruppe von T. 71

Fl./Vl. pr. A, B, R Bogensetzung fraglich; eindeutige Bogensetzung in C₁, F, G, I, L und S (Bogen der Vl. pr. in Sᴾ verlängert bis zur 1. N. T. 71); Bogen in Fl. eindeutig in H, K und P, K und P in Vl. pr. mit Teilbögen ⌢♪♪♪ ♪♪♪, H mit Teilbögen ♪♪♪ ♪♪♪, O und T ohne Bogen in Fl., in Vl. pr. notiert O ⌢♪♪♪♪♪♪ und T ⌢♪♪♪ ♪♪♪; M und N mit eindeutiger Bogensetzung in Vl. pr. und mit Teilbögen in Fl.; D, E und Q keine Bogensetzung in Fl. und Vl. pr.

71 Fl. A 3. Notengruppe ohne Bogen

Vl. pr./Vla. B notiert *pianißimo* erst nach der 1. Achtelpause

76 Vne. B Zz. 2 N. e und ⅜ fehlen wegen Beschädigung des Papiers am rechten Rand

C.r.H. B korrigiert 2. N. a′ zu h′

79 Fl. A 3. Notengruppe ohne Bogen

80 Vl. pr. A 3. Notengruppe ohne Bogen

81 Vne. B korrigiert N. A zu a

82 C.r.H. A korrigiert letzte N. gis′ zu fis′, zusätzlich mit Tabulaturbuchstaben *f*

83 C.l.H. B 7. N. cis vermutlich infolge Korrektur undeutlich

87 Vla. B korrigiert N. d′ zu e′

90 Vne. B Takt fehlt wegen Beschädigung des Papiers am rechten Rand

92 C.l.H. B notiert N. H entsprechend Vc. (ebenso C₁ und Ⓑ außer C₂, das H₁ notiert wie A und Ⓐ); L, M und N lesen N. D

95/96 Fl./Vl. pr. Nach den Untersuchungen von Greta
Moens-Haenen, *Zur Frage der Wellenlinien in der Musik
Johann Sebastian Bachs*, in: *Archiv für Musikwissenschaft* 1984, S. 176–186, insbesondere S. 182, könnte die
Wellenlinie auf derartigen Halbtonfortschreitungen
als Zeichen für ein Halbtonglissando aufgefaßt werden. Es würde sich somit nicht um ein Zeichen für *tr*
handeln, wie dies einige spätere Abschriften an dieser
Stelle interpretieren (vgl. H, K, O, P und S).

97 C.l.H. A notiert 4. N. irrtümlich als e, versieht die N.
jedoch mit Tabulaturbuchstaben *f*

98 Vl. A Zz. 2 ohne Bogen

101 Vc. A 2. N. ursprünglich als e notiert, durchgestrichen
und ersetzt durch N. A

102 Vc. B Vorschrift *pia.* nach 5. N. e

Vne. B korrigiert 3. N. A zu cis

C.l.H. B 3. N. cis ohne Bezifferung, 7. N. cis Bezifferung 5

103 Vc. A 5. N. H infolge Korrektur undeutlich, zusätzlich
mit Tabulaturbuchstaben *h* bezeichnet

C.l.H. B 6. N. e Bezifferung 7

105 Vl. B ohne Zeichen für *p*

Vne. B notiert ganzen Takt Pause (ebenso L, M, N und
Ⓑ)

106 Fl. B korrigiert 2. N. cis″ zu h′, zusätzlich mit Tabulaturbuchstaben *h*

108 Vl./Vla. B ohne Zeichen für *p*

Vne. B notiert ganzen Takt Pause (ebenso L, M, N und
Ⓑ)

C.l.H. B 1. und 3. N. e ohne Bezifferung

109 Fl. A korrigiert 8. N. fis′ zu g′, zusätzlich mit Tabulaturbuchstaben *g*

Vne. B korrigiert 3. N. cis′ zu a

110 Vl. pr. B notiert 1. N. cis″ mit *tr*

112 Vla./Vc./Vne. B ohne Zeichen für *p*

112/113 Vla. A Lesart (ebenso L, M, N und Ⓐ;
G wie in T. 11 mit Alternativ-Lesart in Stichnoten

im C.r.H. - vgl. hierzu Anm. zu T. 11); B notiert [Notenbeispiel] nach Korrektur der letzten Achtel d' e' von T. 112 zu e' a' (Lesart von B auch in (B), die Herausgeber entscheiden sich für diese Lösung von B); C_1 Lesart [Notenbeispiel]

120 Vl. pr. B 7. N. cis" ohne *tr* (ebenso L, M, N, T und (B))

121 Vne. B 2. N. d fehlt wegen Beschädigung des Papiers am rechten Rand

124 Vne. A notiert [Notenbeispiel], wobei auf Zz. 2 die ursprüngliche Lesart E D Cis cis überschrieben wurde – die beiden Achtel G Fis auf Zz. 1 entsprechend zu korrigieren wurde offensichtlich vergessen (vgl. die Parallelstellen T. 4 und 138, ferner T. 59 – 60), deshalb setzen die Herausgeber die Lesart wie in T. 4 und 138 aus A; (A) liest [Notenbeispiel]; B notiert Vne. unisono mit Vc. (ebenso C_1, L, M, N und (B))

125 Vla. A korrigiert 5. N. e' zu fis', zusätzlich mit Tabulaturbuchstaben *f*

Vne. B 5. N. C wie Vc. (ebenso L, M, N und (B))

C.l.H. B 3. N. G ohne Bezifferung

126 C.l.H. A 4. N. dis Bezifferung [Ziffernangabe]

127 Fl. A korrigiert vorletzte N. h" zu a"

128 Vl. A korrigiert die letzten beiden Achtel h' h' zu a' a', zusätzlich jeweils mit Tabulaturbuchstaben *a*

129 C.r.H. B korrigiert 4.N. e' zu fis', zusätzlich mit Tabulaturbuchstaben *f*

131 Vl. pr. B 5. und 6. N. g" fis" ohne Bogen

C.l.H. B korrigiert 2. N. g zu fis, zusätzlich mit Tabulaturbuchstaben *f*

132 Vne. B 2.-3. N. e d fehlen wegen Beschädigung des Papiers am rechten Rand

133 C.r.H. A notiert letzten Akkord [Notenbeispiel] (ebenso C_1, L, M, N und (A)); die Herausgeber entscheiden sich für die Lesart [Notenbeispiel] von B und (B), da das C.r.H. in T. 133/134 den Orchestersatz akkordisch zusammenfaßt, d.h. grundsätzlich die übrigen Instrumente akkordisch verdoppelt (vgl. N. h' der Vla. an der fraglichen Stelle); O liest irrtümlich [Notenbeispiel]

C.l.H. B notiert ursprünglich 2. N. cis, radiert und korrigiert cis zu g

134 Vc. B letztes Achtel ursprünglich N. D, N. durchgestrichen und ersetzt durch N. d'

C.r.H. A notiert auf Zz. 1 nur ein Pausenzeichen ; B Akkord auf Zz. 2 Lesart (ebenso C_1 und Ⓑ)

134/135 C.r.H. A ohne Hinweis auf *accompagnement*; B notiert *acc.* im System nach dem Pausenzeichen von T. 134

135 Vl. pr. B notiert ursprünglich 1. N. cis", radiert und korrigiert cis" zu e"

136 Vl./Vla./Vc./Vne. B ohne Zeichen für *f*

137 C.l.H. B 8. N. d mit fraglicher Bezifferung ($^6_9$; vgl. dagegen die analogen Stellen T. 3, 29, 58/59 und 123)

138 Vne. B 3.–8. N. unisono mit Vc. (ebenso C_1, L, M, N und Ⓑ); 7.–8. N. cis A fehlen in B wegen Beschädigung des Papiers am rechten Rand

C.l.H. A 5. N. E ohne Bezifferung (vgl. dagegen B und die Parallelstellen T. 4 und 124, ferner T. 60)

140 Vl. pr. B 1. Notengruppe ohne Bogen

142 Vc. B korrigiert nach der 1. Achtelpause N. H zu

143 Fl. A 1. Notengruppe ohne Bogen

Fl./Vl. pr. B vorletzte Achtel h" bzw. g" ohne Staccatopunkte

144 Fl./Vl. pr. B 3. und 7. N. ohne Staccatopunkte; A nur 3. N. fis" in Vl. pr. mit Staccatopunkt; Ⓐ außer T setzt in T. 143/144 konsequent Staccatopunkte, L, M, N, T und Ⓑ setzen dagegen konsequent keine wie B; C_1 notiert in Vl. pr. Staccato in T. 143/144, jedoch nicht in Fl.

148 Vl. A korrigiert auf Zz. 1 vor dem 1. Viertel a eine irrtümlich gesetzte N. a zu ; B korrigiert letztes Viertel h(?) zu a

150 C.r.H. A korrigiert in 5. 32stel-Gruppe 1. N. d" zu e"

151 Vl. pr. A letzte Achtelgruppe ohne Bogen

154 C.l.H. B Vermerk *solo* im System; B notiert auf Zz. 2 ursprünglich Lesart , radiert und korrigiert jeweils die N. e' zu a'

155 C.r.H. A notiert 2. Notengruppe ursprünglich ♫♫, korrigiert jedoch durch Streichen des 32stel-Balkens zwischen 3. und 4. N.

C.l.H. B notiert auf Zz. 1 ursprünglich Lesart [Notenbeispiel], radiert und korrigiert jeweils die N. e' zu cis'

156 C.r.H. B 1. Notengruppe Lesart [Notenbeispiel] (ebenso Ⓑ); A fügt 3. N. g" nachträglich ein; B ohne Pausenzeichen ⸘

157 C.r.H. B notiert für 1. Notengruppe ursprünglich Lesart [Notenbeispiel], radiert und korrigiert 2. und 4. N. e" zu cis"

C.l.H. B letzte Notengruppe Lesart [Notenbeispiel] (ebenso Ⓑ)

158 C.l.H. B notiert N. A in T. 158 wie auch in T. 159, Zz. 1, als ♪⁷ (ebenso C₂, H, K, O, P und S); D und E notieren ♪ in T. 158, aber ♪⁷ in T. 159 wie B

159 C.l.H. B Zz. 1 Lesart [Notenbeispiel] (ebenso Ⓑ) und ohne ⸘

164 C.l.H. A korrigiert letzte N. cis zu H, zusätzlich mit Tabulaturbuchstaben h; B notiert dieselbe N. ursprünglich als d, radiert und korrigiert d zu H

166 C.r.H. B 1. Notengruppe Lesart [Notenbeispiel] (ebenso Ⓑ)

172 C.l.H. B 1. Notengruppe Lesart [Notenbeispiel] (ebenso Ⓑ, wovon jedoch H, K und S [Notenbeispiel] lesen, O radiert und korrigiert offensichtlich ursprüngliche 4. N. g nach analogen Stellen zu a); A fügt 3. N. g nachträglich ein und setzt über 2. und 3. N. zur Verdeutlichung Tabulaturbuchstaben a g

173 C.l.H. A notiert ohne Bindebogen: [Notenbeispiel]

175 C.r.H. A ohne ⁊; B Zz. 1 Lesart [Notenbeispiel] (ebenso Ⓑ, wovon O 8. Sechzehntel g' liest); B korrigiert 8. Sechzehntel g' zu a', zusätzlich mit Tabulaturbuchstaben a, und 1. und 2. Achtel g a zu a h

176 C.r.H. B durch Radieren unleserlich, zu erkennen ist N. d" mit tr, darunter zwei Notenköpfe auf fis' und a' sowie zwei Pausenzeichen ⁊ und ⁊; C₂, D und E lesen N. fis' als ♪⁊⁊; in H, K, O, P und S fehlt N. fis'

C.l.H. B 1. Notengruppe Lesart ♪ (ebenso Ⓑ)

177 C.r.H. B Notierung der 3. Sechzehntelgruppe: ♪ (ebenso Ⓑ); Q notiert auf Zz. 2 von T. 177 bis zur 1. N. T. 178 einstimmig: ♪ (so auch schon in T. 173, Zz. 2 bis zur 1. N. T. 174) C.l.H. A notiert ohne Bindebogen: ♪; B notiert ♪

179 C.r.H. A ohne ↱; B Zz. 1 Lesart ♪ (ebenso Ⓑ); B korrigiert 1. und 2. Achtel cis′ d′ zu d′ e′; Q notiert ganzen T. 179 einstimmig: ♪ (14. N. d″ statt e″ wie Ⓐ außer R und T, in G wurde das zuerst notierte e″ zu d″ korrigiert)

180 C.r.H. B korrigiert 12. Sechzehntel g″ zu fis″

C.l.H. B notiert ♪ ohne *tr* (ebenso Ⓑ außer C_2)

188 C.l.H. A notiert irrtümlich 4. N. e (ebenso T; vgl. dagegen N. fis in allen übrigen Quellen sowie T. 184 und 186)

189 C.l.H. B notiert auf 1. Hälfte von Zz. 2 zunächst Achtel cis e, radiert und korrigiert zu ↱ und N. e

189–194 C.l.H. B notiert Orgelpunkt auf N. A ♪ (ebenso Ⓑ, C_2 und E bis zur N. A in T. 195)

194 C.r.H. B korrigiert 1. N. d″ zu cis″

199 C.r.H. A korrigiert 3. 32stel-Gruppe g′ fis′ e′ zu g e′ d′, zusätzlich mit Tabulaturbuchstaben *g e d*

202 C. A 1. Sextolengruppe infolge Korrektur undeutlich; B notiert die Sextolen als ♪ (ebenso C_2, K und P); O notiert 2. Sextolengruppe ♪, die übrigen wie B; H und S notieren ♪, D und E haben ♪, wobei E die letzte Sextole ♪ notiert; A, C_1, F, L, M, N und T notieren ♪; G 2. und 3. Sextole ♪, Q 1.–3. Sextole ♪, ansonsten beide wie A; R notiert ♪

212 C.r.H. B korrigiert 1. und 7. N. cis″ zu d″, zusätzlich jeweils mit Tabulaturbuchstaben *d*

217 C.r.H. B notiert ursprünglich letzte N. e′, radiert und korrigiert zu g′

C.l.H. A korrigiert 15. N. D zu E, zusätzlich mit Tabulaturbuchstaben *E*

218 C.l.H. B 2. und 3. Notengruppe infolge Korrektur fast unlesbar, Lesart nach Korrektur wahrscheinlich ♮♮♮♮♮ , vor der Korrektur vielleicht ♮♮♮♮♮ (hierbei ist nur die letzte Sechzehntelgruppe mit einiger Wahrscheinlichkeit rekonstruierbar, von der zweiten blieb lediglich 1. N. A stehen, die Rekonstruktion der 2.–4. N. vor der Korrektur ist unsicher, die Stelle ist durch Rasur unkenntlich), nach der Korrektur wurden unter die 1. und 3. N. der 2. Notengruppe die Tabulaturbuchstaben *A* und *B* zur Verdeutlichung gesetzt; D und E lesen ♮♮♮♮♮, C₂, H, K, O, P und S lesen ♮♮♮♮♮

219 Vla. B notiert *f.* beim 1. Viertel d

C. B notiert Akkord wie schon in T. 1 (vgl. Anm. zu T. 1; ebenso Ⓑ); C₁ notiert nur N. d im C.l.H. wie in T. 1; L, M und N haben ♮♮♮♮♮

222 C.l.H. B 4. N. Fis ohne Bezifferung

224 C.l.H. B 1. N. h ohne Bezifferung, 7. N. cis Bezifferung $^7_5$

226/227 C.r.H. B notiert in Stichnoten ausgesetzten Generalbaß ♮♮♮♮♮ (ebenso H, K und P; H ist schwer lesbar), S liest 2. Akkord irrtümlich ♮♮♮♮♮

227 C.l.H. B notiert N. D (ebenso Ⓑ außer C₂ und O)

Satz II

1 Satzüberschrift *Adagio* in C₁ in allen Stimmen außer Vl. pr. und Vne.: Vne. notiert *Affettuoso tacet, Adagio* in Vl. pr. durchgestrichen und ersetzt durch *Affettuoso* (beide Eintragungen vermutlich durch C. Fr. Zelter); B Satzüberschrift *Affettuoso* in Fl., Vl. pr. und C., notiert dagegen Vermerk *Adagio tacet* in Vl., Vla., Vc. und Vne. (ebenso K und P); D hat *Adagio* in Vl., Vla., Vc. und C., E notiert ebenfalls *Adagio*, zusätzlich über der Überschrift stehend Angabe *Affettuoso* in eckigen Klammern

C.r.H. B ohne Vermerk *accomp.*

C.l.H. B 4. N. e ohne Bezifferung

2 Vl. pr. A, B Zz. 4 Bogen fraglich (vgl. Parallelstellen Fl.
T. 21 und Vl. pr. T. 46)

3 C.l.H. B 8. N. d Bezifferung $\frac{7}{9}$

4 C.l.H. B 9. N. Fis Bezifferung $\frac{5}{3}$, A Bezifferung 5

5 C.l.H. B 3. N. G ohne *tr* (ebenso L, M, N und Ⓑ); C₁
notiert auf Zz. 2

6 Vl. pr. B ohne Zeichen für *p*

C.r.H. B Zz. 2 ohne Bogen

7 Fl. A korrigiert auf Zz. 3 N. a′ zu gis′, zusätzlich mit
Tabulaturbuchstaben *g*

10 Vl. pr. B ohne Zeichen für *f*

12 Fl. B 6. N. fis″ unleserlich wegen Beschädigung des
Papiers am rechten Rand

C.r.H. B ohne Pausenzeichen

C.l.H. B 4. N. cis′ ohne Bezifferung

13 C.l.H. A Zz. 2 (auf N. g) Bezifferung $\frac{6}{4}$, B Bezifferung $\frac{4}{2}$

15 Vl. pr. B ohne Zeichen für *p*

C.r.H. B Zz. 3 ohne Bogen

C.l.H. 7. N. fis mit etwas zu hoch angesetztem Notenkopf, könnte auch als g gelesen werden, so in H, K, O, P
und S; L, M und N lassen den Takt leer auf Zz. 3-4 im
C.l.H. (so auch schon in T. 7, Zz. 3-4)

17 C.r.H. B Zz. 1 ohne Bogen, Zz. 2 Bogen
(flüchtige Schreibung?), 12. N. fis″ ohne *tr* (ebenso H,
K, L, O und P; *tr* nachgetragen von fremder Hand in S)

C.l.H. B Zz. 2 ohne Bogen; A Zz. 4 ohne Bogen (vgl.
dagegen Parallelstelle T. 37)

18 C.r.H. A, B Zz. 3 und 4 Bögen fraglich

19 C.r.H. B Zz. 2 ohne Bogen; A Zz. 3 ohne Bogen (vgl.
dagegen Parallelstelle T. 39)

C.l.H. B Zz. 3 Lesart (ebenso Ⓑ)

22 Vl. pr. A Zz. 4 Ganzbogen

23 C.l.H. B 3.-5. N. h cis′ d′ ohne Bezifferung, 9. N. cis
Bezifferung $\frac{5}{\#}$

26 C.r.H. A, B Zz. 1 Bogen fraglich

28 Vl. pr. A Zz. 4 ohne Bogen

29 C.r.H. B Zz. 3 Bogen 𝆮 (ebenso C$_2$ und E); D mit
Ganzbogen 𝆮; C$_1$, H, K, L, M, N, O, P, S und T ohne
Bogen

C.l.H. B Zz. 1 ohne Bogen, Zz. 3 Lesart 𝆮 (ebenso L,
M, N und Ⓑ); C$_1$ Lesart 𝄢𝅘𝅥)

30 Vl. pr. B ohne Zeichen für f, korrigiert 6. N. g′ zu a′

31 Fl. B letzte N. a″ unleserlich wegen Beschädigung des
Papiers am rechten Rand

C.l.H. B 3. N. c ohne Bezifferung, A Bezifferung ♮;
B 4. N. A Bezifferung ♮, 6.–7. N. d c ohne Bezifferung

32 C.l.H. A vermutlich infolge Korrektur fast unleserlich,
3. N. c′ zur Verdeutlichung mit Tabulaturbuchstaben c,
ohne ♮ und möglicherweise mit Bezifferung $\frac{6}{4}$

33 C.l.H. B 2. N. a ohne Bezifferung

34 C.r.H. B Zz. 3 ohne Bogen

36 Vl. pr. B ohne Zeichen für p

C.r.H. B Zz. 3 ohne Bogen

37 C.r.H. A Zz. 2 Bogen fraglich (ebenso F und G);
Q Bogen 𝅘𝅥𝅯, R Ganzbogen 𝅘𝅥𝅯; B ohne Bogen
(ebenso C$_1$, L, M, N, T und Ⓑ)

C.l.H. A Zz. 2 ohne Bogen

38 C.r.H. A, B Zz. 3 und 4 Bögen fraglich

39 C.r.H. B Zz. 2 und 3 ohne Bögen; A notiert tr auf Zz. 4
über N. d″, L, M, N und T ohne tr, H, K, O, P und S Zz. 4
Lesart 𝆹𝅥𝅯 (vgl. dagegen die übrigen Quellen und
in A Fl. T. 2, 3 und 46 und Vl. pr. T. 21 und 22)

40 C.r.H. B Zz. 3 ohne Bogen

41 C.r.H. B Zz. 3 ohne Bogen

42 C.r.H. B Zz. 1 und 2 ohne Bögen

C.l.H. B Zz. 4 ohne Bogen

44 C.r.H. B Zz. 3 Bogen 𝅘𝅥𝅯 (ebenso C$_2$ und K); D, H, O,
P und S Ganzbogen 𝅘𝅥𝅯; C$_1$, E, L, M, N und T
ohne Bogen

45 Vl. pr. B ohne Zeichen für f

C.l.H. B Zz. 2 Lesart ♪ (ebenso Ⓑ), C₁ notiert ♪; B 5.–6. N. fis e ohne Bezifferung

46 Fl. A Zz. 4 Ganzbogen ♪ (wie Vl. pr. T. 22; vgl. in A aber auch Parallelstellen Fl. T. 2 und 3)

   C.l.H. A ♯ fehlt vor 3. N. ais; B 7. N. e Bezifferung 7

47 Fl. A notiert *tr* auf Zz. 4 über N. fis″ (ebenso M und N), C₁ und T ohne *tr*

   C.l.H. B 3.–6. N. cis d e fis Bezifferung 9 7 5 $^9_{\#}$, 8. N. d Bezifferung $^7_3$ (mittlere Ziffer schwer lesbar)

48 Fl. B notiert 7. N. h′ mit *tr* (ebenso Ⓑ)

   Vl. pr. B letzte N. ais′ ohne *tr* (ebenso F und Ⓑ)

   C.l.H. B 5. N. g Bezifferung $^2_4$

Satz III

 9 Fl. B ohne Bögen

10 C.l.H. B 6. N. a Bezifferung 7

14 Vl. pr. B korrigiert 1. N. a′ zu h′, zusätzlich mit Tabulaturbuchstaben *h*

18 C.r.H. A notiert auf Zz. 2 irrtümlich N. e′ statt gis′ mit ♯

19 C. A, B notieren punktierte Halbe ♩., ebenso in T. 21 (dies wird übernommen von allen Abschriften außer C₁, C₂, O, R und S)

26–27 C.r.H. B notiert jeweils zwei übereinanderstehende Pausenzeichen

29 C.r.H. B Zz. 2 mit

   C.l.H. A 2. N. Fis ohne Bezifferung (vgl. dagegen T. 128)

33 C.l.H. B 1. N. g ursprünglich Bezifferung 6, korrigiert vermutlich zu 5 (Ziffer fraglich)

39 Fl. B notiert 1. N. a″ als punktiertes Viertel ♪ (ebenso H, K, O und Sᴾ; der Punkt wurde wieder durchgestrichen in P)

45 Fl. A ohne Bögen; B Zz. 2 ohne Bogen

50 Vc. B Zz. 2 ohne Bogen

   Vne. B korrigiert 2. N. e zu fis

52 C. B notiert punktierte Halbe♩., so auch in T. 54 (ebenso H, K, L, M, N, O und P; Q und T haben ♩. in T. 52, Q nur im C.r.H.)

55 C.l.H. A 2. N. vermutlich ursprünglich e, radiert und korrigiert zu d

57/58 Vl. pr. A ursprünglich notierter Bindebogen zwischen N. d″ und 1. N. cis ″ von T. 58 getilgt

58 Fl. A 1. N. e″ vermutlich infolge Korrektur undeutlich notiert, B notiert die N. als punktiertes Viertel (ebenso D, K, O und P; O notiert auch in T. 59 und 60 jeweils 1. N.)

C.r.H. A notiert auf Zz. 1 ♪7 7, desgleichen im C.l.H. auf Zz. 2 (ebenso T); Q Pausenzeichen 7 fehlt nach 1. N. cis″ in T. 58 und nach 1. N. d″ in T. 59; L, M und N notieren in T. 58–61/Zz. 1 im C.r.H. Zz. 1 und C.l.H. Zz. 2 jeweils ♪77, so auch S im C.l.H. T. 58 sowie A und T im C.r.H. T. 59

58-61 Vl. B vermutlich infolge Korrekturen stark verblaßte und undeutliche Schrift

62 C.r.H. A, B notieren auf Zz. 1 und 2 jeweils zwei übereinanderstehende Pausenzeichen 7; B Zz. 1 Lesart (ebenso Ⓑ außer D), D liest , C₁ ganzer Takt Lesart

62-64 Vne. B notiert drei Takte Pause (ebenso C₁, L, M, N und Ⓑ)

64 C.r.H. A Zz. 2 mit ; B abgekürzter Vermerk *acc.*

67 Vc. B ohne Bögen; A Zz. 2 ohne Bogen

C.l.H. B korrigiert auf 1. N. h Bezifferung 6 zu 5

68 Vc. B 1. N. gis vermutlich nachträglich korrigiert zu ♮

C. B ohne *tr* (ebenso C₁ und Ⓑ außer C₂ und D); D, G, L, M, N, Q und R nur im C.r.H. mit *tr*

70 Vla. A Zz. 2 ohne Bogen

C. alle Quellen außer F ohne *tr*

74 Fl. A N. e″ vermutlich infolge Korrektur undeutlich notiert

75 C.r.H. A, B abgekürzter Vermerk *acc.*

76 Fl. B ohne Bögen

77 Vne. A Zz. 1 ohne Bogen

78 Vne. A ohne Bögen; B Zz. 1 ohne Bogen

79 C.r.H. B ohne Bögen; A Zz. 2 ohne Bogen; Q hat im C.r.H. T. 79–82 leere Takte

80 C.r.H. B Zz. 1 ohne Bogen; A Zz. 2 ohne Bogen

81 C.r.H. A korrigiert 4.N. cis" zu h', zusätzlich mit Tabulaturbuchstaben *h*, vgl. dagegen N. cis" in B, Ⓑ und T sowie die Parallelstellen Vl. T. 91 und 101; N. h' auch in C_1, L, M, N und Ⓐ außer T

85 Vl. pr. A notiert 2.N. cis", vgl. dagegen N. fis' in B und Ⓑ sowie die Parallelstellen Fl. T. 95 und Vl. pr. T. 105, ferner Fl. T. 154; N. cis" auch in C_1, L, M, N und Ⓐ

87 Vl. pr. A Zz. 2 ohne Bogen

88 Vl. pr. A Zz. 2 ohne Bogen

Vla. B notiert auf Zz. 2 ursprünglich N. fis' g' a', richtige Lesart ais' h' cis' mit Stichnoten hinzugefügt

89 Vl. A, B Vermerk *pianißimo solo* unter dem System, so auch in T. 99 (B notiert dort *solo pianißimo*)

C.r.H. B ohne Bögen

90 C.r.H. B ohne Bögen

92 Fl. B Zz. 1 mit Bogen

92–95 C.r.H. B ohne Bögen

94 Fl. B Zz. 1 mit Bogen

Vl. A Zz. 2 ohne Bogen

95 Fl. B notiert 2.N. ursprünglich cis", radiert und korrigiert zu fis'

97 Vl. pr. A notiert irrtümlich 1.N. fis" statt 2.N. gis" mit ♯

98 Vl. pr. A Zz. 1 ohne Bogen

101 Vl. pr. A Zz. 1 ohne Bogen

C.r.H. B Zz. 2 ohne Bogen

105 Vl. pr. A Zz. 2 ohne Bogen; C_1 Lesart 2.N. gis' (vgl. T. 85)

108 C.r.H. B notiert 1.–3. N. irrtümlich gis' a' h', radiert und korrigiert zu e' fis' gis'

128 C.r.H. B abgekürzter Vermerk *acc.*

131 Fl. B ohne Bögen; A Zz. 2 ohne Bogen

132 Fl. B Zz. 2 ohne Bogen

133 Fl. B Zz. 1 ohne Bogen

   Vl. pr. B Zz. 1 ohne Bogen

134 Vl. A Zz. 1 ohne Bogen

139 C.l.H. B korrigiert 1. N. A zu II; A 2. N. h Bezifferung 6

144 Vl. B Pausenzeichen ⁊ fehlt nach 2. N. cis″ (ebenso P,
   1. N. vermutlich nachträglich von ♩ ⁊u ♪ geändert); H,
   K, O und S lesen den Takt als ♩ ⁊ ♪

145 Vl. A notiert ♪⁊ ⁊ ♪, korrigiert nach Zz. 1 2. N. dis″ zu ⁊
   und schreibt dis″ danach neu als Auftakt zu T. 146
   (Lesart von A auch in Ⓐ); L, M und N notieren 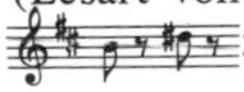
   [musical notation]; vgl. dagegen Lesart ⌐ ⁊ ♪ in B, C₁ und Ⓑ
   Vne. B notiert ♪ ⁊ ⁊ ⁊♪ (ebenso K, L, M, N und P)

146 Fl. B Zz. 1 ohne Bogen

   C.l.H. B 2. N. d′ ohne Bezifferung, A Bezifferung ⁶₄

148 Vla. A ohne Spielanweisung *cantabile* (ebenso O und
   Ⓐ)

149 Vl. pr. A Zz. 2 ohne Bogen

   Vl./Vla. B notiert keine Vorschlagsnoten, so auch in
   T. 151

153 Vl. pr. B korrigiert 1. N. e′ zu d′ und 6. N. h′ zu a′, diese
   zusätzlich mit Tabulaturbuchstaben *a*

154 Fl. A ohne Bögen; B Zz. 2 ohne Bogen; C₁ Lesart 2. N.
   h′ (vgl. Vl. pr. T. 85 und 105), A korrigiert 2. N. h′ zu e′,
   zusätzlich mit Tabulaturbuchstaben *e*

   Vla. B Zz. 1 mit Bogen

157 Vl. pr./Vla. B ohne Zeichen für *p*

158 Fl. A ohne Bögen

   Vl. A Zz. 1 ohne Bogen

161 C.l.H. A ohne *tr* (ebenso C₂, K, L, M, N, O, P und T)

162 Fl. A Zz. 2 ohne Bogen

162/163 C.l.H. A Bindebogen fehlt (ebenso L, M, N, O und T)

163 Fl. B notiert auf Zz. 1 ♪⁊ ⁊

177–187 Alle Instrumente B ab T. 177 um vier Takte kürzere
Lesart (T. 188ff. in A entspricht somit T. 184ff. in B; alle
Taktangaben in den Einzelanmerkungen beziehen
sich im folgenden auf die Fassung von A, die diese Aus-
gabe wiedergibt, auch wenn die Anmerkungen Quelle
B betreffen):

Lesart auch in Ⓑ, im C. der Quelle C₂ findet sich ein
Eintrag am unteren Blattrand der betreffenden Seite,
der T. 177–180 in der Fassung von A als Alternativ-
Lesart mit Verweiszeichen zum Notentext bringt, zugleich wurde die zuerst notierte Lesart von B T. 177–183
radiert und eine Terz tiefer gesetzt, so daß diese Takte
nun T. 181–187 der Fassung A entsprechen (diese Korrektur im C. von C₂ wurde vermutlich von anderer
Hand nachträglich vorgenommen); C₁ folgt der Fassung von B in den Stimmen Vl. und Vla., die Stimme
Vne., in der Satz III von C. Fr. Zelter nach der Fassung
A nachgetragen wurde, und C. bringen dagegen die
Lesart A, ebenso die Stimmen Fl. und Vl. pr., in denen
die ursprünglich notierte Lesart B offensichtlich von
anderer Hand (wahrscheinlich von Zelter) durchgestrichen und Lesart A mit Verweiszeichen zum Notentext
separat nachgetragen wurde; L, M und N werfen die
Lesarten von A und B durcheinander: während die
Stimmen Fl., Vla. und C. Lesart A folgen, notieren
Vl. pr. und Vl. in T. 177–180 Lesart B und folgen danach
der Lesart A ab T. 181, und die Stimme Vc., die in L, M
und N den Vne.-Part bringt, pausiert wie in Fassung B
(Stimmenabschrift L notiert ab T. 156 38 Takte Pause
nach Fassung B, von fremder Hand wurde die Zahlen-
angabe 38 ergänzt durch die Zahl 42 nach Fassung A),

in M wurde die zuerst eingetragene Fassung A in Fl.
T. 177–180 analog den Stimmen Vl. pr. und Vl. geändert, so daß in diesen Takten auch die Fl. in M Lesart B
aufweist und ab T. 181 wieder A folgt.

182 Fl. A 1.–4. N. undeutlich geschrieben, Notenköpfe zu
tief angesetzt (Korrektur?)

186 Vl. pr. A Zz. 2 ohne Bogen; vgl. dagegen B (T. 181–183
der Lesart B in Fl., Vl. pr., Vl. und Vla. entsprechen
T. 185–187 der Lesart A!)

189 Vl. pr. B ohne Zeichen für p

    C. A ohne tr (ebenso L, M, N, O und T); H, K, P und S
ohne tr im C.l.H.

191 Vl. B Zz. 2 ohne Bogen

197 Fl. B Zz. 2 ohne tr (ebenso L, M, N, T und Ⓑ außer D)

    C.r.H. B Zz. 2 Lesart ♪ (ebenso C_1, H, K, O, P
und S); diese Lesart ursprünglich auch in A, dann
geändert zu ♪, dies auch in B als Nachtrag in
Stichnoten; Lesart von A auch in L, M, N und Ⓐ sowie
in C_2 und D, die den Stichnoteneintrag in B berück-
sichtigen und sich somit beide als eng mit B verwandte
bzw. direkt abhängige Abschriften von B erweisen

199 Vl. pr. B 2. N. fis″ undeutlich infolge Korrektur

200 C.r.H. B Zz. 1 Lesart ♪ (ebenso C_1 und Ⓑ, C_1, O
und P ohne tr)

201 Vl. pr. A Zz. 2 ohne Bogen

201/202 Vne. B Bindebogen fehlt

203 Vc. A notiert ursprünglich Pausenzeichen 𝄽 auf Zz. 2,
durchgestrichen und ersetzt durch nachstehende N.
cis und 𝄾; B notiert ebenfalls zunächst 𝄽, überschreibt
Pausenzeichen mit N. cis und 𝄾

205 Vl. pr. A Zz. 2 ohne Bogen

207 Vl. pr. A Zz. 2 ohne Bogen

209 Vl. pr. A Zz. 2 ohne Bogen

210 C.r.H. B korrigiert 6. N. h′ zu a′

211/212 C.r.H. B Lesart ♪ (ebenso Ⓑ), 1. N. a″ in
T. 212 in B mit Stichnote nachträglich hinzugefügt, dies
auch in C_2 vermutlich aus B übernommen; C_1 Lesart
♪

213 C.r.H. B Lesart  (ebenso C_1, H, K, O, P und S, davon C_1 ohne Überbindung), Lesart aus A in B mit Stichnoten nachträglich eingefügt; D bringt beide Lesarten von der Hand desselben Schreibers und erweist sich damit als direkte Abschrift von B; C_2 notiert Lesart A, übernimmt also aus B nur den Stichnoteneintrag

214 Vl. pr. B Zz. 1 mit Bogen; B notiert ursprünglich 2. N. h'', radiert und korrigiert zu g''

217 Fl. A Zz. 2 ohne Bogen

219/220 C.l.H. A ohne Bindebögen; B N. Fis mit Bindebogen (ebenso C_2 und T); D, H, K, L, M, N, P, S und Ⓐ außer T Bindebogen auf N. fis und Fis; C_1 notiert N. Fis erst ab T. 220 und N. fis ohne Bindebogen; O Lesart

220 Fl. A Zz. 2 mit Bogen

221 Vla. A korrigiert 3. N. h zu cis', zusätzlich mit Tabulaturbuchstaben c

222 Vc./Vne. B korrigiert 2. N. cis zu H, zusätzlich mit Tabulaturbuchstaben h

223 Vne. A Zz. 2 ohne Bogen

224 Vl. pr. A Zz. 2 ohne Bogen

Vl. A Zz. 2 ohne Bogen

230 C.r.H. B 1. N. undeutlich geschrieben, Notenkopf zu hoch angesetzt

231 Vl. pr. B 2. N. cis'' ohne *tr* (ebenso L, M, N, P und Q, in Q auch Fl. ohne *tr*)

C.r.H. B Zz. 2 ohne Bogen

An den folgenden Stellen finden sich zusätzlich eingefügte Warnungsakzidentien, die der Eindeutigkeit halber in dieser Ausgabe gesetzt wurden:

Satz I – T. 96, Fl., N. fis''
T. 126, C.l.H., 1. N. cis
T. 200, C., 11. N. h
T. 201, C., Zz. 3 N. f

Title page from the autograph score
Titelseite des Autographs der Partitur

Dedication from the autograph score
Widmung aus dem Autograph der Partitur

CONCERTO No. 5

Johann Sebastian Bach
(1685–1750)
BWV 1050

Edited by Karin Stöckl
© 1988 Ernst Eulenburg & GmbH
and Ernst Eulenburg Ltd

2

4

6

8

12

14

16

20

23

EE 6735

24

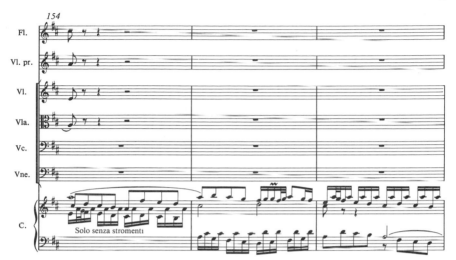

Solo senza stromenti

II. Affettuoso

38

EE 6735

40

EE 6735

44

EE 6735

46

EE 6735

54